JN024554

作　緑川聖司
絵　TAKA

七不思議神社

妖《あやかし》の修学旅行

あかね書房

「それじゃあ、この前決めた班《はん》ごとに分かれて、話しあいをはじめてください」

増田《ますだ》先生のかけ声に、ぼくたちはガタガタガタといすを鳴らして、いっせいに立ちあがった。

「おーい、リク。三班《ぱん》はこっちだぞ」

班長《はんちょう》のシンちゃんが、窓《まど》ぎわの一番後ろの席《せき》で手をふっている。

「そんなに大きな声を出さなくても、聞こえるよ」

ぼくは苦笑《くしょう》しながら、修学《しゅうがく》旅行のしおりを手に、シンちゃんの元へと向かった。

同じ班《はん》のタクミとソラもやってきて、近くのいすにすわると、

「それじゃあ、第一回〈修学旅行《しゅうがく》でなにをするか会議《かいぎ》〉をはじめます」

シンちゃんがまじめな顔でいった。

六年生になって二ヶ月がたち、小学校生活最大《さいだい》のイベント、一泊《ぱく》二日の修学旅行《しゅうがく》が、二週間後にせまっていた。

行き先はS《エス》県の西のはしに位置《いち》する阿弥香《あやか》市。ぼくたちが住んでいる七節町《ななふしちょう》からは、高速を使って車で三時間ほどのきょりだ。

ぼくが通う七節《ななふし》小学校は、一学年に一クラスしかない小さな学校で、六年一組の顔ぶれは去年から変《か》わってないし、担任《たんにん》も五年生のときと同じ、増田《ますだ》先生という若《わか》い女の先生だ。

だから、学校にきても五年生の延長《えんちょう》みたいな感じだけど、こうして修学《しゅうがく》旅行の準備《じゅんび》を進めていると、六年生になったんだな、と実感がわいてくる。

ぼくたちはまず、しおりを開いて、〈行程表《こうていひょう》〉を確認《かくにん》した。

一日目は、朝の七時に学校を出発して、十一時ごろに〈阿弥香伝統工芸館《あやかでんとうこうげいかん》〉に到《とう》着《ちゃく》。ここで工芸体験《こうげいたいけん》をして、昼食をとると、すぐ近くにある阿弥香《あやか》神宮に移動《いどう》する。

阿弥香《あやか》神宮は、本殿以外《ほんでんいがい》にも社殿《しゃでん》がいくつかある大きな神社で、付属施設《ふぞくしせつ》やおみやげ横丁なんかもいれると、ちょっとした町くらいの広さがあった。

ここでは施設《しせつ》の見学と、班《はん》ごとにテーマを決めての課外《かがい》活動が予定されている。

夜は八十年以上《いじょう》の歴史《れきし》がある旅館〈恩寮閣《おんりょうかく》〉に宿泊《しゅくはく》して、二日目は〈あやかしの里〉というテーマパークで一日過《す》ごして帰ってくる、というスケジュールだった。

前回、六つの班《はん》に分かれたので、今日は課外《かがい》活動のテーマを班《はん》ごとに考えるんだけど、いまのところなにも決まっていなかった。

「一班《ぱん》は七節《ななふし》神社と阿弥香《あやか》神宮の歴史《れきし》を調べて、ひかくするみたいやな。二班《はん》は観《かん》光客《こうきゃく》にインタビューして、阿弥香《あやか》市の観光《かんこう》のみりょくについて……」

ほかの班《はん》の話しあいをさぐってきたタクミが報告《ほうこく》する。

「うーん、なにがいいんかな……」

シンちゃんがシャーペンを片手《かたて》に、むずかしい顔でソラを見た。

「ソラ、なんかないか？」

「そうだなあ……」

無祝日
傘
夏至
雨期
入梅
水無月
河童
梅雨
ONIBI

ほおづえをついていたソラは、首をかしげて小さくため息をついた。

「どうかしたの？」

どことなく、元気がないような気がして、ぼくが声をかけると、

「うん。ちょっとね」

ソラは気弱げにほほえんで、

「この前の日曜日に、おばあちゃんに会いにいってきたの」

といった。

「おばあちゃんって、阿弥香《あやか》市に住んでるんやったよな？」

タクミの言葉に、

「昔ね」

ソラは答えた。

「いまはなんにも残《のこ》ってないけど」

阿弥香《あやか》市には、ソラのお母さんの実家があって、ソラも小さいころに、何度か遊びにいったことがあるらしい。

らしい、というのは、修学《しゅうがく》旅行のしおりを見たお母さんに教えてもらうまで、おばあさんの家が阿弥香《あやか》市にあったことを、ソラ自身も知らなかったからだ。

ぼくは五年生の夏休みに七節町《ななふしちょう》に引っこしてきたんだけど、ソラも転校生で、ぼくより二年早く転校していた。

その前は、ソラはいまよりもっと阿弥香《あやか》市からはなれた土地に住んでいたので、あまりおばあさんの家にいくことはなかったし、九年前におじいさんが亡《な》くなると、ひとりになったおばあさんは家を処分《しょぶん》して施設《しせつ》に入所した。

「だから、最後《さいご》に阿弥香《あやか》市にいったのは、八年ぐらい前じゃないかな」

「それでも、おれたちより土地勘《かん》はあるやろ？　向こうにいったら案内《あんない》よろしくな」

タクミがおどけた調子でいうと、ソラはふきだした。

「三才のときだから、ほとんど覚《おぼ》えてないよ。家のまわりにあった田んぼと畑と、あとはどんぐりを拾いにいった公園くらい」

その公園が、今回宿泊《しゅくはく》する〈恩寮閣《おんりょうかく》〉の近くなのだそうだ。

「だったら、なつかしいんじゃないの？」

それなのに、どうしてそんなにうかない顔をしているんだろうと思って聞くと、

「じつはね……」

ソラはこの間の日曜日のことを話しだした。

ソラのおばあさんは、七節町《ななふしちょう》から車で三十分ほどのところにある、海の見える丘《おか》の上の施設《しせつ》で暮《く》らしている。

そこに近いことも、ソラの家族が七節町《ななふしちょう》に引っこしてきた理由のひとつで、二週間に一回くらいのペースで会いにいってるんだけど、

「今度、修学《しゅうがく》旅行で阿弥香《あやか》市にいくの」

ソラがしおりを見せると、おばあさんはなぜか表情《ひょうじょう》をくもらせた。

そして、しんけんな顔で、

「あそこにいくんやったら、大尾仁山《おおおにやま》には近づいたらいかんぞ」

といったというのだ。

大尾仁山《おおおにやま》は、今回泊《と》まる旅館のすぐとなりの山で、ソラが昔おばあさんとどんぐりを拾いにいった公園は、この山のふもとにあるらしい。

「そんな近くに住んでたんか」

シンちゃんがおどろきの声をあげる。

「けど、なんで近づいたらあかんのや？」

「あそこは〈鬼《おに》〉の縄張《なわば》りだから、人間は近づかない方がいいんだって」

ソラはそういうと、おばあさんから聞いた話を教えてくれた。

鬼《おに》の祭

昔々《むかしむかし》の話。
大尾仁山《おおおにやま》の山おくには、身のたけ三メートルほどの大きな鬼《おに》が住んでいて、ときお

り人里におりてきては、人を喰《く》うといわれていた。

阿弥香《あやか》の民《たみ》が困《こま》っていると、通りがかりの旅の僧《そう》が、三日三晩《ばん》にわたって祈祷《きとう》を続《つづ》け、結界《けっかい》を張《は》ってくれた。

おかげで鬼《おに》がおりてくることはなくなったが、人間にとって山が危険《きけん》なことには変《か》わりはない。

鬼《おに》の住処《すみか》にはいらなければだいじょうぶとはいえ、看板《かんばん》が立っているわけではないので、山になれていないと見極《みきわ》めるのがむずかしいのだ。

そこで阿弥香《あやか》では子どもに、ひとりで山にいってはいけないよと教えるようになった。


いまから数十年ほど前のこと。

さくらという女の子が、夕暮《ゆうぐ》れどきに飼《か》い犬のペスを連《つ》れて散歩中《さんぽちゅう》、ほんのちょっと手をゆるめたすきに、ペスににげられてしまった。

「あ、待って」

さくらはあわてて追いかけたが、ペスはぐんぐんとスピードをあげて、山の中にすがたを消した。

さくらは迷《まよ》ったが、助けを求《もと》めようにも、あたりに人かげはない。しかたなく、ペスを追って山にはいると、ガサガサガサという音をたよりに、犬の名前を呼《よ》びながら歩きまわった。

まだ陽が落ちる時間でもないのに、森はまるで夜のように暗い。

気がつくと、ペスをさがすどころか、自分がいまどこにいるのかさえわからなくなっていた。

さくらが足を止めて、泣《な》きそうになっていると、

どすん……どすん……


重い足音とともに、地面が大きくゆれて、鬼《おに》があらわれた。

さくらが悲鳴をこらえて、太い木のかげにすがたをかくしていると、小さなヘビが

足元にあらわれた。
「きゃっ」
反射的《はんしゃてき》に声をあげてしまい、鬼《おに》が足を止める。
つぎのしゅんかん、さくらの体がふわりと宙《ちゅう》にういた。
鬼《おに》がさくらのおなかにうでを回して、持ちあげているのだ。
さくらが声も出せずにふるえていると、鬼《おに》はさくらをかかえたまま、
ずんずんと山をのぼっていった。

ドンドコ、ドコドン、ドンドコ、ドコドン……

どこからか、楽しげなたいこの音が聞こえてくる。
しばらく歩くと、広場のような開けた場所に出て、十体近い鬼《おに》が
輪《わ》になっておどっていた。その中心では、ひときわたくましい鬼《おに》が、
見たこともないほど大きなたいこをたたいていた。

「おーい」

さくらをかかえた鬼《おに》が呼《よ》びかけると、おどって

いた鬼《おに》たちが動きを止めて、こちらを向いた。

そして、口々《くちぐち》に声をかけた。

「人間の娘《むすめ》とは、でかした」

「これはめでたい」

「はやくこっちにつれてこい」

おそらく、さくらを祭りのささげものにするつもりなのだろう。

このまま食べられてしまうのか——。

きょうふのあまり、さくらが気を失《うしな》いそうになっていると、

「ワン！　ワンワン！」


どこからあらわれたのか、鬼《おに》の足元で犬のほえる声がした。

「ひゃあっ！」

鬼《おに》が悲鳴をあげて、さくらを放りだす。

「きゃあっ！」

とつぜん地面に投げだされたさくらは、こしをおさえながら、なんとか立ちあがって、目を見開いた。

「ペス！」

鬼《おに》に向かってほえていたのは、ペスだったのだ。

さくらよりも、さらに小さな犬のペスは、鬼《おに》が息をふきかけるだけで飛《と》んでいきそうだったが、どういうわけか鬼《おに》たちは、悲鳴をあげてにげまどっている。

どうやら、鬼《おに》は犬が苦手なようだ。

「ペス！　こっち！」

鬼《おに》に運ばれたとき、自分がいる場所を高い位置《いち》からはあくしていたさくらは、ペスを呼《よ》びながら森の中へとかけこんだ。

「ワン！」

ペスが鬼《おに》に向かってひとほえして、すぐにさくらのあとを追いかける。

枝《えだ》が顔にあたり、草の葉が足を切るのもかまわずに、さくらは必死《ひっし》で走りつづけた。

そして、ようやく山からぬけでると、無事《ぶじ》に家に帰りつくことができた。

「そのさくらって女の子が、おばあちゃんのお友だちだったんだって」

ソラが話を終えると、

「たしかに、名前からして、いかにも鬼《おに》が出そうな山やもんな」

と、タクミがいった。

ぼくのばあちゃんも、山や土地の名前には、本当のすがたがかくされているといっていた。

引っこしてきた直後に、ぼくがタクミと出あった七節《ななふし》神社も、七不思議《ななふしぎ》を集めたら願《ねが》いをかなえてくれるから、七不思議《ななふしぎ》神社という別名《べつめい》があるくらいだし……。

そんなことを考えていると、

「それに、わたしも昔、鬼《おに》に会ってるみたいなの」

ソラの言葉に、

「ほんまか？」

タクミが興奮《こうふん》した様子で身を乗りだす。

「自分ではあんまりよく覚《おぼ》えてないんだけどね」

ソラはちょっとはずかしそうに笑《わら》って、頭に手をやった。

「わたしが三才のときに、大尾仁山《おおおにやま》のふもとの公園で遊んでたら、いつのまにかいなくなってたことがあるんだって。それで、しばらくして山からもどってきて、『鬼《おに》に会った』っていったらしいの」

ソラは当時のことを、日曜日におばあさんからはじめて聞かされたのだそうだ。

「お母さんも、いちおうおばあちゃんから聞いてはいたんだけど、昔のことだからわすれてたみたい」

「そやけど、修学《しゅうがく》旅行の宿泊先《しゅくはくさき》なんやから、近づかんわけにもいかんよなあ」

タクミがうでを組んでいうと、

「――なあ、これってテーマにできへんかな」

シンちゃんがぼくたちの顔を見まわした。

「テーマって……課外《かがい》活動の？」

ソラがびっくりしたように聞きかえす。

「うん。大尾仁山《おおおにやま》が〈鬼《おに》〉からきてるんやったら、阿弥香《あやか》市も〈あやかし〉からきてるかもしれへんやろ？　ってことは、そういう話がほかにもあると思うんや」

「おもしろそうやな」

タクミがいった。

「いいと思うよ」

ぼくも同意する。

「もちろん、ソラがよかったらやけど……」

シンちゃんはそういってソラを見た。

昔のことや、おばあさんの話もあるので、こわがったりいやがったりしていないか、気になったのだろう。

だけど、ソラはにっこり笑《わら》って、

「いいよ。テーマは『阿弥香市《あやか》の不思議《ふしぎ》な話を集める』でいこ」

といった。

「いいんか？」

シンちゃんの言葉に、ソラはぼくたちの顔を見まわすと、

「みんなといっしょなら、
だいじょうぶでしょ？」
とほほえんだ。
「もちろんや。なんかあったら、ぜったいに守ったる」
タクミがきっぱりといいきって、自分の胸《むね》をどんとたたいた。
力が強すぎたのか、ゲホッと大きくせきこんで、顔をしかめる。
それを見て、ぼくたちは笑《わら》い声《ごえ》をあげた。

その日の放課後《ほうかご》。

ぼくたちはいったん家に帰ってランドセルを置《お》いてから、月森川《つきもりがわ》の土手に集合した。

太陽の光を受けて、水面がキラキラとかがやいている。

川の上を通る気持ちのいい風を感じながら、上流に向かって少し歩くと、ぼくたちは川原におりた。

タクミが手近な草をピッとちぎって、口にあてると、大きく息をすいこんで、思いきりふいた。

ピーーーーーッ

まるで鳥の鳴き声のようなかん高い音が、六月の空にひびきわたる。

そのまましばらく待っていると、ガサガサガサと草をゆらす音が、川の方から近づいてきて、緑色の生きものがひょっこりとあらわれた。

身長は一メートルくらいで、背中《せなか》にはこうらが、口には鳥のようなくちばしがついている。手足は細長く、頭にのっかったお皿のまわりにはギザギザの髪《かみ》が生えていた。

河童《かっぱ》のギィだ。

ギィとは去年の秋に、ある事件《じけん》がきっかけで知りあったんだけど、河童《かっぱ》のことをこわがる人がいるかもしれないので、ギィとの関係《かんけい》は、大人にはないしょにしていた。

最近《さいきん》は、草笛が秘密《ひみつ》の合図だ。

「ほーお、これが〈しゅうがくりょこうのしおり〉か」

ギィは感心したようにいった。

この前、川に遊びにきたとき、ぼくたちが修学《しゅうがく》旅行の話をギィにすると、

「それはなんや？　食いもんか？」

といいだしたので、今度しおりを持ってくると約束《やくそく》していたのだ。

「人間の学校にはこんなもんがあるんやなあ……おっ、行き先は阿弥香《あやか》市やないか」

「知ってるの？」

ぼくが聞くと、ギィは胸《むね》をはった。

「ここやったら、よう知ってるぞ」

Crepe
ONIBI

ギィの話によると、大尾仁山《おおおにやま》には〈山童《やまわろ》〉という、河童《かっぱ》の親せきみたいな名前の一つ目の妖怪《ようかい》がいて、十年に一度、どちらかの地元で合戦《かっせん》をするらしい。

「合戦《かっせん》ゆうても、すもうやけどな」

ギィは前回、ワモォという名の山童《やまわろ》と対戦《たいせん》して、おしいところで負けたのだそうだ。

「つぎの合戦《かっせん》は再来年《さらいねん》やけど、あいつもがんばってるかなあ」

ギィはこしに手をあてて、遠くに目を向けると、

「そうや。よかったら、手紙を書くから、とどけてくれへんか？」

といった。

「えーっと……大尾仁山《おおおにやま》だけど、どうする？」

ぼくは返事に困《こま》って、ソラを見た。

「ん？　リク、なんの話や？」

ギィが不思議《ふしぎ》そうな顔をする。

ぼくは、昔、阿弥香《あやか》市にソラのおばあさんが住んでいたこと、あの山には鬼《おに》がいるから近づかないように警告《けいこく》されたことを話した。

「まあ、あそこは妖怪《ようかい》の町やからな」

話を聞いて、ギィはおもしろがるようにいった。

「大尾仁山《おおおにやま》に鬼《おに》がおるというのは聞いたことないけど、もしおったとしても、よっぽどおくにはいらんかったら問題ないやろ」

ソラが、

「わたしはだいじょうぶだよ」

といったので、出発する前に、もう一度川原で待ちあわせて、ギィから手紙をあずかることになった。

「そういえば、妖怪《ようかい》の町ってことは、阿弥香市《あやかし》には怪談《かいだん》が多いのか？」

シンちゃんが聞いた。ギィは自分も河童《かっぱ》なのに、怪談《かいだん》が大好《だいす》きなのだ。

「あのあたりには〈あやかの七不思議《ななふしぎ》〉があるからな」

ギィはうでを組んだ。

「あやかの七不思議《ななふしぎ》？」

ソラが興味《きょうみ》を持ったらしく、一歩足をふみだす。

「えっと……いま覚《おぼ》えてるのは、〈つるべおろし〉の話やな」

「あ、おれ知ってる」

タクミが手をあげた。

「〈秋の日はつるべ落とし〉ってやつだろ?」

つるべというのは、たしか井戸《いど》で水をくむおけのことだったはずだ。

引きあげるときは、水が重くてゆっくりだけど、おろすときはおけが一気に落ちる。

その様子が、あっという間にしずんでいく秋の夕陽に似《に》ていることからできた慣用《かんよう》句《く》だ。

「ギィがいってるのは、〈つるべ落とし〉じゃなくて、〈つるべおろし〉でしょ?」

ソラが横から口をはさんだ。

「わたし、本で読んだことある。たしか、道を歩いていると木の上から落ちてくる、大きな生首《なまくび》の妖怪《ようかい》じゃなかったかな」

「わしが聞いてるのは、こんな話やけどな――」

川をわたる風を受けながら、ギィは話しはじめた。

つるべおろし

いまから二百年くらい前の話。

夕暮《ゆうぐ》れの近づいた大尾仁山《おおおにやま》の森の中を、ひとりの商人が、とぼとぼと力なく歩いていた。

あと少しで阿弥香《あやか》の里に着くというところで、商人は道ばたの石にこしをおろして、

「はあ……」

とため息をついた。

山向こうの大きな町まで、阿弥香《あやか》の木でつくったはしやおわんを売りにいったが、今日もぜんぜん売れなかったのだ。

妻《つま》や子どもに、もっといい暮《く》らしをさせてやりたいなあ、と商人が思っていると、
ぎい……ぎい……。

頭の上から、縄《なわ》がきしむような音が聞こえてきた。

なんだろう、と思って商人が立ちあがったとき、

ガシャン！


とつぜん木の上から、黒いかげが落ちてきた。

「ひゃあっ」

悲鳴をあげてしりもちをついた商人が、あらためてよく見ると、それは井戸《いど》で水をくむためのつるべだった。

どうしてこんなところに、つるべが落ちてくるのだろう……。

地面をはうようにして、おそるおそる近づいた商人は、つるべをのぞきこんで目を見開いた。

中にはキラキラとかがやく小判《こばん》が、いっぱいにはいっている。

さっきの、ガシャン、というのは、この小判《こばん》が鳴る音だったようだ。

これだけあれば、家族にぜいたくをさせてやることができる。

つるべに手をつっこもうとした商人は、グググッとなにかがそでを引くかんしょくに、その手を止めた。

着物のたもとから、小さなきんちゃくぶくろを取りだす。

それは、おさない子どもたちが、「父ちゃんが商いから無事《ぶじ》に帰ってきますように」と、はぎれでつくってくれたお守りぶくろだった。

つぎのしゅんかん、つるべがひゅんと音をたてて、木の上に引きあげられた。

見あげると、ひとかかえほどもある大きな首が、こちらを見おろしている。

もしつるべに手をいれていたら、自分も木の上に連《つ》れさられていたかもしれないと思うと、商人はゾッとした。

「いがいとかしこい」

大首は、山がゆれるような大声でそういうと、今度はみずから、ドスンと落ちてきた。

「つるべおろそか、ぎいぎいぎい」

歌うようにいいながら、ぴょん、と飛《と》びはねて、こちらに近づいてくる。

「ひぇー！」

商人はあわててにげだした。

そのまま転がるようにして、山をかけおりる。

「つるべおろそか、ぎいぎいぎい」

ぴょん、どすん、ぴょん、どすん
大首は、まるで遊んでいるみたいにかるがると飛《と》びはねて、商人のすぐ後ろまでせまってきた。

追いつかれそうになった商人は、手にしていたお守りぶくろをとっさに大首に向かってつきだした。

「ぐわっ！」

大首が、その巨大《きょだい》な顔をゆがめて、山へともどっていく。

命からがら家に帰って、いまのできごとを妻《つま》に話すと、

「それはきっと、きんちゃくぶくろにいれておいた塩《しお》のおかげでしょう」

妻《つま》はそういってほほえんだ。

商人が仕事でしばしば大尾仁山《おおおにやま》をこえることを心配した妻《つま》が、住職《じゅうしょく》にたのんでお経《きょう》をとなえた塩《しお》をわけてもらっていたのだ。

それ以来《いらい》、商人は山をこえることをやめ、近くの小さな町で商いをするようになって、金持ちではないが、家族仲《なか》よく幸せに暮《く》らしたということだ。

「まあ、お経《きょう》を読まれた塩《しお》が、つるべおろしにほんまに効《き》くかどうかはわからんけ

どな」

ギィは身もふたもないことをいって、話をしめくくった。

すると、しんけんな顔で話を聞いていたソラが、

「そういえば、わたしもお母さんから、あの山の話を聞いたことがあった」

といって、こんな話をはじめた。

置《お》いてけ森

夏休み。
阿弥香市《あやかし》にあるおじいちゃんの家にやってきた小学生のK太《ケータ》は、朝ごはんを食べおわると、近所の公園へこん虫採集《さいしゅう》に出かけた。
ところが、公園をひとまわりしても、思っていたほど見つからない。

つかまえたこん虫の観察《かんさつ》日記を、夏休みの自由研究にする予定だったK太《ケーた》が困《こま》って
いると、

「きみは虫をさがしているのかい？」

いつのまにあらわれたのか、見知らぬ男の子が目の前に立っていた。

子どもなのに、大人みたいなしゃべりかただな、と思いながら、

「そのつもりだったんだけど、ぜんぜん見つからないんだ」

K太《ケーた》は答えた。

「だったら、いいところを教えてあげよう」

男の子は返事も聞かずに、先に立って歩きだした。

K太《ケーた》がついていくと、男の子は公園の裏手《うらて》に広がる森の前で足を止めた。そして、

「ここなら、たくさん虫がいるぞ」

といった。

「ここか……」

K太《ケーた》は迷《まよ》った。たぶん、この森に立ちいると、いってはいけないとおじいちゃんか

ら注意されていた大尾仁山《おおおにやま》にはいることになってしまう。

だけど、たしかに外から見ただけでも、こん虫がたくさんいそうだ。

「わかった。ありがとう」

ちょっとぐらいならいいだろうと、K太《ケーた》は男の子にお礼をいって、森の中に足をふみいれた。

そして、思わず、

「うわあ……」

と声をあげた。

森の中はまさしく、こん虫の楽園だった。

色とりどりのチョウが舞《ま》い、この時間にはすがたを消しているはずのカブトムシやクワガタが、木の幹《みき》にはりついている。

K太《ケーた》は夢中《むちゅう》になって、虫取りあみをふりまわした。

ちがう種類《しゅるい》のこん虫をいっしょにすると、けんかするかもしれない。

迷《まよ》った末《すえ》に、K太《ケーた》はカブトムシにねらいをさだめて、つぎつぎとかごに放りこんでいった。

しばらくして、かごがいっぱいになったので、そろそろもどろうすると、

「置《お》いてけ〜、置《お》いてけ〜」

どこからか、地の底《そこ》からわきあがるような低《ひく》い声が聞こえてきた。

背《せ》すじがぞわぞわとするのを感じながら、K《ケー》太《た》は以前《いぜん》、おじいちゃんが話してくれた、「置《お》いてけ堀《ぼり》」の話を思いだした。

江戸《えど》のお堀《ほり》でつりをしていた男が、つれた魚を持って、友人と帰ろうとしたら、

「置《お》いてけ〜、置《お》いてけ〜」

という声が追いかけてきた。

こわくなった男は、あわてて魚を返したが、返そうとしなかった友人は、そのまま
お堀《ほり》に引きずりこまれてしまった――そんな話だ。

K《ケー》太《た》はハッとして、こしのあたりでゆれる虫かごを見た。

置《お》いてけというのは、これのことか……。

「いやだ！　おれがとったんだから、おれのもんだ！」

Ｋ《ケー》太《た》はさけびながら、森の外をめざして走りだした。

「置《お》いてけ〜、置《お》いてけ〜」

声が後ろから追いかけてくる。

Ｋ《ケー》太《た》はけんめいに走ったけど、後ろの声は、だんだん大きくなっていく。

「カブトムシを置《お》いてけ〜」

「山のものを置《お》いてけ〜」

「お前のことも置《お》いてけ〜」

耳をふさぎながら、ようやく森をぬけだすと、目の前にさっきの男の子が立っていた。

「ひどいじゃないか」

K太《ケーた》がもんくをいうと、

「虫がたくさんいるところを教えてやっただけだ」

男の子はそういって、ニタリと笑《わら》った。そして、大きく口を開くと、

「置《お》いてけ～、置《お》いてけ～」

と、くりかえした。

それは、森の中で聞こえてきたのと、同じ声だった。

こおりついているK太《ケーた》の足を、何者かががしっとつかんで、そのまま後ろに引っぱった。

たおれこみながらふりかえると、地面からはいだした木の根が、足首にしっかりと巻《ま》きついていた。

「うわわわわっ！」

K太《ケーた》の体はすごい力で、森へと引きもどされていく。

両手で地面をつかもうとするけど、止まる様子はない。

「助けてっ！」

K《ケー》太《た》は引きずられながら、虫かごを開けて、カブトムシをにがした。

とたんに、足から木の根がはずれて、K《ケー》太《た》は森の外に転がりでた。

「いててて……」

足首をおさえながら顔をあげると、さっきの男の子のすがたはどこにもなかった。


「その男の子は、たぶん山の神様で、山の生きものを守っていたんだろうって……」

ソラのお母さんは、さらにそのお母さん――ソラのおばあさんに、そう聞かされたらしい。

「まあ、山に守り神はつきもんやからな」

ギィはそういって、月森川《つきもりがわ》をずっとさかのぼったところにある、天河山《てんかわやま》のみねを見あげた。

また手紙を受けとりにくる約束《やくそく》をして、ぼくたちは月森川《つきもりがわ》をあとにした。

帰り道のとちゅうでシンちゃんとタクミと別《わか》れて、ソラと二人で歩いていると、

「ちょっと思いだしてきたみたいな気がする」

こめかみに指をあてながら、ソラがいった。

「思いだしてきたって……阿弥香《あやか》市のこと？」

「うん。もしかしたら、昔はおばけとか妖怪《ようかい》のことを、あんまり本気で信《しん》じてなかったけど、この町にきて、ギィと知りあったり、いろんなことがあって、夢《ゆめ》だと思ってたきおくがよみがえってきたのかも」

さっきも、ギィから山童《やまわろ》の話を聞いているうちに、だんだんと、じっさいに不思議《ふしぎ》な体験《たいけん》をしたんじゃないか、という気持ちになってきたのだそうだ。

「それじゃあ、本当に鬼《おに》に会ったの？」

ぼくが聞くと、

「どうだろう……」

ソラは首をひねった。

「ただ、山でこわい思いをしたことは、なんとなく覚《おぼ》えてるの。それから、男の子のこと……」

「男の子?」

「山の中で、同い年かちょっと上くらいの男の子と出あって、いっしょに遊んだ気がするの。それはこわいんじゃなくて、楽しかった印象《いんしょう》なんだけど……」

そんなに小さな子どもが山にいるかは、ちょっと疑問《ぎもん》だったけど、ソラもひとりで山にはいっていたわけだから、ありえないとはいえない。

「だったら、修学《しゅうがく》旅行でたしかめてみようよ」

ぼくの言葉に、ソラはためらう様子を見せていたけど、

「だいじょうぶ。みんながいっしょだから」

ぼくが力強くいうと、笑顔《えがお》になってうなずいた。

「そうだね。ありがとう、リク」

その日の夜。

母さんとばあちゃんと三人で晩《ばん》ごはんを食べて、お風呂《ふろ》あがりの牛乳《ぎゅうにゅう》を飲んでいると、仕事を終えた父さんが帰ってきた。

以前《いぜん》は大手チェーンのレストランで調理師《ちょうりし》として働《はたら》いていた父さんは、地元にもどってからは、家から車で十分ほどのところにある洋食屋をまかされている。

夜の十時まで営業《えいぎょう》しているので、帰ってくるのはたいていぼくがねる準備《じゅんび》をするころだ。

さっそく晩《ばん》しゃくをはじめる父さんに、ぼくが修学《しゅうがく》旅行のしおりを見せると、

「おっ、恩寮閣《おんりょうかく》か。なつかしいなあ」

そういって、うれしそうに目を細めた。

「知ってるの？」

「同じところに泊《と》まったからな」

そういえば、父さんも七節《ななふし》小学校の卒業生《そつぎょうせい》だった。

「へーえ、コースも変《か》わってないな」

ビールを飲みながらしおりをながめる父さんに、ぼくは聞いてみることにした。

「だったら、〈あやかの七不思議《ななふしぎ》〉って知ってる?」

「七不思議《ななふしぎ》? 急にどうしたんや?」

ぼくは、阿弥香市《あやかし》には怪談《かいだん》が多く伝《つた》わっているらしいこと、課外《かがい》学習で地元に伝《つた》わる不思議《ふしぎ》な話を集めようと思っていることを話した。

父さんは、しおりをじっと見つめていたけど、

「そういえば、修学《しゅうがく》旅行にいったとき、こんな話を聞いたな」

グラスの底《そこ》に残《のこ》っていたビールを、ぐいっと飲みほして語りはじめた。

丑《うし》の刻《こく》参《まい》り

父さんが小学生のときに、先生から聞かされたというから、三十年以上《いじょう》は前の話に

なる。

六年生のＭ《エム》くんは、修学《しゅうがく》旅行で阿弥香《あやか》市にやってきて、〈恩寮閣《おんりょうかく》〉に泊《と》まることになった。

昼間にはしゃぎすぎてつかれていたのか、就寝時刻《しゅうしんじこく》を過《す》ぎると、友だちはみんなね息を立てはじめた。ところが、とちゅうのバスでちょっとねむったせいか、Ｍ《エム》くんはなかなかねつけなかった。

自分の家だったら、テレビを見たり本を読んだりして、気をまぎらわせることもできるけど、旅館ではなにもすることがない。

考えた末《すえ》、Ｍ《エム》くんは旅館のまわりを散歩《さんぽ》することにした。

見つかったらあやまろう、と思いながら部屋をそっとぬけだすと、うまいぐあいに、先生にも旅館の人にもばれることなく、裏口《うらぐち》から外に出ることができた。

旅館の裏手《うらて》には、山がすぐ近くまでせまっている。

季節《きせつ》は六月の初旬《しょじゅん》で、昼間は暖《あたた》かかったが、山からふきおろしてくる風は少しはだ寒い。

その山の斜面《しゃめん》に、石段《いしだん》が続《つづ》いているのを見つけて、M《エム》くんはのぼりはじめた。

月が照《て》らしてくれるおかげで、足元はよく見える。

しばらくのぼると、生いしげる木々《きぎ》にかくれるようにして、石の鳥居《とりい》があらわれた。

おくには小さな拝殿《はいでん》が見える。

どうやらここは、神社のようだ。

せっかくだからお参《まい》りをしていこうかなと思って鳥居《とりい》をくぐると、

カーン……カーン……


どこからか、くぎを打つような音が聞こえてきた。

なんの音だろうと、M《エム》くんは足をしのばせながら拝殿《はいでん》をまわりこんで、目を疑《うたが》った。

暗い森の中で、まっ白な着物に身をつつんだ、長い髪《かみ》の女が、金づちとくぎを手にして、わら人形を木に打ちつけていたのだ。

（丑《うし》の刻参《こくまい》りだ！）

M《エム》くんは息を飲んだ。

にくい相手の体の一部――つめや髪《かみ》の毛――をうめこんだわら人形を、七日七晩《ばん》続《つづ》けて木に打ちつけることで成就《じょうじゅ》する、のろいの儀式《ぎしき》だ。

ただし、くぎを打っているところをだれかに見られたら、儀式《ぎしき》が失敗《しっぱい》して、のろいが自分にはねかえってくる。

それを防《ふせ》ぐためには、目撃《もくげき》した人を殺《ころ》さなければいけないといわれていた。

こっそりとその場をはなれようとして、足をふみだしたM《エム》くんは、落ちていた木の枝《えだ》をふみ折《お》ってしまった。

パキッ、という音に、

「だれだ！」

女がこちらをふりかえる。

その顔には、まるではんにゃのお面のような、いかりの表情《ひょうじょう》がうかんでいた。

M《エム》くんは地面をけると、全速力《ぜんそくりょく》で石段《いしだん》をかけおりた。

「待て！」

女が金づちとくぎを手に追《お》いかけてくる。

旅館へにげこんで、部屋に飛《と》びこむと、

みんなはなにも知らずにすやすやと

ねむっていた。

M《エム》くんが自分の布団《ふとん》にもぐりこんで、

ぶるぶるとふるえていると、

ススススス……

ふすまが開いて、さっきの女が

部屋にはいってきた。

呼吸《こきゅう》を整えながらねたふりを

していると、女はしゃがみこんで、

「外にいた者は、足が冷《つめ》たい」
といいながら、入り口の近くで
ねていた生徒《せいと》の足をさわった。
そして、
「この子じゃない」
とつぶやいて、となりの布団《ふとん》に
手をのばした。

M《エム》くんは、音がしないように注意して、布団《ふとん》の中ですばやく足をこすりあわせて温めた。

女の冷《ひ》んやりとした手が足にふれて、声をあげそうになったけど、すんでのところで悲鳴を飲みこむ。

全員の足をたしかめおわった女が体を起こすのを、うす目を開けて見ていたM《エム》くんが、助かった、と息をついていると、

「走ってにげた者は心臓《しんぞう》がうるさい」


女はそういって、今度はねている子の布団《ふとん》をめくり、その胸《むね》に手をあてはじめた。

M《エム》くんは落ちつこうとしたが、あせればあせるほど、心臓《しんぞう》のこどうは大きくなっていく。

そして、ついに自分の番がきて、パジャマがわりに着ていたジャージの上から、冷《つめ》たい手があてられた。

落ちつけ落ちつけと、自分にいいきかせる。

やがて、スッと手がはなれて、M《エム》くんがホッとしたしゅんかん、女はうでをガッとつかんで——


「——おまえだ！」


とつぜん父さんが大声を出しながら、ぼくのうでをつかんだので、ぼくは思わず、

「ひゃあっ！」

と悲鳴をあげて飛《と》びあがった。

「おどろいたか？」

父さんは、こしをぬかしたようになっているぼくを見ながらいった。

「あたりまえだろ」

ぼくは、まだドキドキしている心臓《しんぞう》をおさえて、顔をしかめた。

以前《いぜん》、ギィに似《に》たような怪談《かいだん》を話したことはあるけど、自分がじっさいにやられてみると、思った以上《いじょう》にびっくりする。

ぼくが息を整えていると、父さんはにやにやしながら、

「夜に旅館で話してみたらどうだ?」

といった。

「きっと、いい思い出になるぞ」

出発の日は、朝から雲ひとつない青空が、頭上に広がっていた。

「みなさん、明日の夕方、全員そろって元気な顔を見せてください。それでは、いってらっしゃい！」

「いってきます！」

朝の七時過《す》ぎに、大荷物を手にして校庭に集合したぼくたちは、教頭先生や見送りにきてくれた家族に手をふりながら、バスに乗りこんだ。

バスの座席《ざせき》は出席番号順《しゅっせきばんごうじゅん》で、となりはヨウスケだ。

シンちゃんとは元々《もともと》家同士《どうし》が知りあいで、タクミとソラは、去年の夏休み、ぼくが七節小《ななふし》に転校する前に仲《なか》よくなったんだけど、ヨウスケは、ぼくが学校に通うようになってから最初《さいしょ》にできた友だちだった。

クラス委員だけど、優等生《ゆうとうせい》というよりはお調子者で、タクミといっしょによくいたずらをしては、先生におこられていた。

ヨウスケはバスが走りだすなり、

「あ、よい止めの薬飲まな」

といって、手持ち用の小さなリュックを開けた。

そのときバスが大きくゆれて、個別包装《こべつほうそう》の小さなアメが、ばらばらとゆかに落ちた。

「こんなに持ってきたの？」

ぼくがちょっとおどろきながら、拾うのを手伝《てつだ》っていると、

「ばあちゃんが、阿弥香《あやか》市にいくんやったら、小さいおかしをようさん持っていっときって……」

ヨウスケは薬を飲みながら答えた。

「どうして？」

「ばあちゃんは、『あそこは〈ひだるい〉が出るからなあ』ってゆうとったで」

「ひだるい？」

耳なれない言葉に、ぼくが聞きかえすと、

「うん。なんか、こんな話らしいんやけど……」

ヨウスケはシートにもたれて話しはじめた。

ひだるい

「やっぱり山は気持ちええなあ」

山の中《ちゅう》腹《ふく》にある開けた場所でリュックをおろすと、A《エー》さんは大きくのびをして、胸《むね》いっぱいに空気をすいこんだ。

旅行とカメラがしゅみのA《エー》さんは、仕事が休みになると、電車で遠出をして、風景《ふうけい》写真をとっていた。

今回やってきた大尾仁山《おおおにやま》は、有名ではなかったが、めずらしい花の写真がとれると、一部の愛好家《あいこうか》の間で評判《ひょうばん》になっている山だった。

「おなかすいたな。このへんで、お弁当《べんとう》でも食べよか」

A《エー》さんは近くの大きな石にこしかけて、おにぎりを取りだした。

朝早くに家を出て、電車を乗りついできたので、もう一時間も前から、おなかがぐーぐーと音をたてている。

持ってきたおにぎりを、あっという間にたいらげると、A《エー》さんはほかになにかなかったかと、リュックの底《そこ》をのぞきこんだ。

すると、すみっこにピンポン玉くらいの白くて丸いものがころがっているのが目にはいった。

「ああ、そうか。さっきもらったんや」

それはビニールにつつまれた小さなおまんじゅうだった。

駅を出て、山に向かっていたときに、田んぼに囲《かこ》まれた十字路で、とつぜん見知らぬおばあさんに、「お兄さん、ちょっとええか？」と呼《よ》びとめられたのだ。

「いまから山にのぼりなさるんか？」

「そうですけど……」

「それやったら、これを持っていき」

おばあさんはにこにこと笑《わら》いながら、おまんじゅうを差《さ》しだした。

A《エー》さんが反射的《はんしゃてき》に受けとると、

「ええか？　ほんまに必要《ひつよう》なときまで、ちゃんと取っとくんやで」

おばあさんはしんけんな顔でそういって、去っていった。

「必要《ひつよう》なときって、なんやろ」

A《エー》さんは首をかしげながら、おまんじゅうをそのままにして、こしをあげた。

おにぎりを食べてから一時間ほど、あたりを散策《さんさく》して、けっきょくお目あての花は見つけられなかったが、べつのきれいな花やのどかな風景《ふうけい》を写真におさめることができたA《エー》さんは、山をおりることにした。

日暮《ひぐ》れまでまだ時間はあったが、天気があやしくなってきている。

暗い空の下、少しいそいで歩いていたA《エー》さんは、ふと気がつくと、のぼってきたときとはちがう道にはいっていた。

それでも、いちおう先に続《つづ》いているので、ふもとには着けるだろうと思い、足を止めずに進んでいると、

「――あれ？」

A《エー》さんはとつぜん、その場にストンとすわりこんだ。

大きなおにぎりを三つも食べたところだというのに、急におなかが空いて動けなくなったのだ。

いったいどういうことかと思っているうちに、手や足からも力がぬけて、意識《いしき》が遠ざかっていく。

そのとき、おまんじゅうのことを思いだしたA《エー》さんは、気力をふりしぼってリュックを開け、おまんじゅうを口に放りこんだ。

すると、さっきまでの空腹《くうふく》がうそみたいに、体に力がもどってきた。

道にこしをおろしたまま、大きく息をはきだすA《エー》さんの耳に、どこからか、

「ざんねん……」

という声が聞こえてきた。


その後、無事《ぶじ》に山をおりたA《エー》さんは、駅に向かうとちゅう、あのおばあさんに声をかけられた十字路で足を止めた。

さっきは気づかなかったけど、道ばたに小さな祠《ほこら》があって、お地蔵《じぞう》さまがニコニコとほほえんでいる。

そして、お地蔵《じぞう》さまの前には、A《エー》さんがもらったのと同じ小さなおまんじゅうがならんでいた。

よく見ると、お地蔵《じぞう》さまの顔は、さっきのおばあさんにそっくりだった。

家に帰ってから調べたところ、あの山には〈ひだるい〉と呼《よ》ばれる妖怪《ようかい》が出るらしいことがわかった。

〈ひだるい〉は、元は山でうえ死《じ》にした人間で、自分と同じ思いをさせるために、通りかかった人にとりついて、動けないほどの空腹《くうふく》にする妖怪《ようかい》だ。

とりつかれたら、なにかひと口でも食べものを口にすれば回復《かいふく》するので、〈ひだるい〉が出そうな場所にいくなら、ちょっとした非常食《ひじょうしょく》などを持つようにすればいいらしい。

それ以来《いらい》、A《エー》さんは知らない土地へ出かけるときは、念《ねん》のため、小さなおかしを持ちあるくようになったということだ。


「へーえ、そんな話があるんだ」

ぼくは感心の声をあげた。

もしかしたら〈あやかの七不思議《ななふしぎ》〉のひとつかもしれない。

「よかったら、リクも持っとくか?」

ヨウスケがそういってくれたので、ぼくはアメを三つほどもらって、ポケットにいれた。

ぼくたちを乗せたバスは、とちゅうのパーキングエリアでトイレ休けいをはさんで、予定通り十一時ちょうどに、最初《さいしょ》の目的地《もくてきち》である〈阿弥香伝統工芸館《あやかでんとうこうげいかん》〉に到着《とうちゃく》した。

阿弥香《あやか》市は何百年も前から林業がさかんで、館内には木でできた食器《しょっき》やパズルなどの工芸品《こうげいひん》がならんでいる。

ここでぼくたちは、はし作り体験《たいけん》をさせてもらうことになっていた。

作業場に案内《あんない》されて、かんたんな説明《せつめい》を受けると、さっそく元になる木を専用《せんよう》の器具《きぐ》にセットして、かんなで少しずつけずっていく。

使いやすい長さに切って、やすりで表面を整えると、好《す》きな色をぬり、特別《とくべつ》なペンで名前をいれたらできあがりだ。

全員の作業が終わったところで、ちょうどお昼になったので、ぼくたちは工芸館《こうげいかん》のとなりにあるレストランに向かった。

昼食は、地元の食材《しょくざい》を使ったバイキングだ。

タクミとヨウスケが、おかわりの回数で競争《きょうそう》しているのを見て、

「あとでおなかが痛《いた》くなっても知らないからね」

ソラがあきれた顔で、かたをすくめた。

おなかがいっぱいになったぼくたちは、バスで阿弥香《あやか》神宮に移動《いどう》した。

みんなでお参《まい》りをして、神主さんに施設《しせつ》を案内《あんない》してもらうと、いよいよ班《はん》に分かれての課外《かがい》活動だ。

ぼくたちは本殿《ほんでん》の前に集まった。

「さあ、どうする?」

タクミが班長《はんちょう》のシンちゃんに聞く。

「そうやな……」

シンちゃんはうでを組んで、あたりを見まわした。

地元の七節《ななふし》神社とは、くらべものにならないほどの広大な境内《けいだい》を、たくさんの人が行き来している。

「とりあえずは、予定通り地元の人に聞いてまわろか。一時間後に、いったんここ

に集合でええかな？」

「ええよ」

「わかった」

「了解《りょうかい》」

タクミとソラとぼくは、口々《くちぐち》に返事をして、思い思いの方向にちらばった。

質問《しつもん》こうもくをまとめたノートを手に、ぼくはまず、ハンチング帽《ぼう》をかぶった年配の男性《だんせい》を呼《よ》びとめた。

本殿《ほんでん》にお参《まい》りするわけでもなく、ぶらぶらと歩いているように見えたので、近所の人が散歩《さんぽ》にきたのかなと思ったんだけど、話を聞いてみると、となりの県から町内会の旅行できていて、ぶらぶら歩いていたのはしゅみの俳句《はいく》を考えていたからだった。

それでも、知らない人に話しかけたことで、きんちょうが解《と》けたぼくは、つぎつぎと声をかけていった。

こういう取材《しゅざい》みたいなことははじめてだったけど、事前にしゃべる内容《ないよう》を決めておいたのと、やさしい人が多かったおかげで、いろいろと話を聞くことができた。

だけど、〈あやかの七不思議《ななふしぎ》〉の話は、なかなか出てこない。

一時間が経過《けいか》したところで、ぼくたちは境内《けいだい》のすみにあるベンチにすわって、聞きとった話をおたがいに教えあった。

その結果《けっか》、この一時間で集まったのは、

「ご神木《しんぼく》をなでたら長生きできる」

とか、

「鳥居《とりい》に石を投げたら、家に帰るとちゅうで足をねんざした」

とか、

「犬を散歩《さんぽ》させていると、いつも決まった場所でやたらとほえる」

といった、小さなネタばかりだった。

これはこれでおもしろいけど、できればもっと七不思議《ななふしぎ》っぽい話がほしい。

いまのところそれらしいものは、ソラがおばあさんから聞いた〈鬼《おに》の祭〉の話と、ギィが教えてくれた〈つるべおろし〉。それから、ソラが思いだした〈置《お》いてけ森〉に、ヨウスケから聞いた〈ひだるい〉の四つだ。

集合時間が近づいてきたので、ぼくたちはもう一度手分けして、話を聞くことにした。

ぼくはみんなとは反対がわ――本殿《ほんでん》の裏手《うらて》へと足を向けた。

あまり目立たない場所の方が、地元の人がいるんじゃないかと思ったのだ。

裏《うら》はすぐそばまで山はだがせまっていて、木で足場を組んだ階段《かいだん》が山のおくへと続《つづ》いている。

その下で野良着《のらぎ》のような服装《ふくそう》のおばあさんが、ふろしきづつみを背《せ》おって、困《こま》った顔をしていた。

「どうしたんですか？」

ぼくが近づいて声をかけると、

「それが……」

おばあさんは、この山の中腹《ちゅうふく》にある祠《ほこら》にお供《そな》えものを持ってきたのだけれど、ここまでくるのにつかれてしまい、とても荷物をかついでのぼれそうにないのだといった。

「だったら、お手伝《てつだ》いしましょうか？」

ぼくはいった。おばあさんが本当に困《こま》っているみたいだったし、祠《ほこら》も見てみたかったからだ。

「ええんですか？　ありがとうございます」

おばあさんは、ぼくを拝《おが》むようにして頭をさげた。

ぼくは自分のナップザックを手に持つと、ふろしきづつみを背中《せなか》にかついで、階段《かいだん》をのぼりはじめた。

少しあとから、おばあさんがついてくる。

「ほんまにありがとうございます。助かります」

何度もお礼を口にするおばあさんに、

「気にしないでください」

と、ぼくはいった。

「それより、このふろしきの中身は、なんですか？」

「おはぎです」

おばあさんはニコニコしながら答えた。

「ここの神様は、おはぎが大好《だいす》きなんですよ」

「へーえ、そうなんですか」

となりを歩くおばあさんと、そんな会話を交わしながら、ぼくはしんちょうに足を進めた。

階段《かいだん》は木と土でできているんだけど、一段《いちだん》一段《いちだん》がせまいうえに、土がしめっていてすべりやすい。

それに、ふろしきが意外と重かった。

しかも、のぼりはじめたときにくらべてだんだんと重さが増《ま》していくような気がする。

足元に視線《しせん》を落としたまま、ぼくがつぎの一歩をふみだそうとしたしゅんかん、

「止まりなさい」

だれかの声がして、ぼくは足を止めた。

顔をあげると、つばのついた中折《なかお》れ帽子《ぼうし》を鼻のあたりまで深くかぶった、作務衣《さむえ》すがたの大男が、うでを組んでぼくのいく手をはばんでいた。

ぼくが声もなく立ちすくむと、大男はぼくの背中《せなか》から、ふろしきづつみを片手《かたて》でひょいと持ちあげた。

結《むす》び目《め》をほどいて、ばさっと一ふりする。

それを見て、ぼくは目を丸くした。

ガラガラガラと音を立てて、中からこぼれおちたのは、おはぎではなく、おはぎぐらいの大きさの、ただの石だったのだ。

どうりで重いはずだ。

ぼくは思わずおばあさんの顔を見た。

おばあさんはいやそうな顔をすると、チッと舌打《したう》ちをして、まるでけもののようなすばやさで、山の中へとすがたを消した。

ぼくが階段《かいだん》のとちゅうでぼうぜんとしていると、

「あぶなかったな」

大男はおだやかな口調《くちょう》でそういって、いまのは〈おばりょ〉という妖怪《ようかい》だと教えてくれた。

親切な人をたぶらかして、重い荷物を背《せ》おわせ、石段《いしだん》から転げおとそうとするのだそうだ。

七節町《ななふしちょう》にも〈おんばりょ〉という、道いく人におぶさるおばあさんの妖怪《ようかい》がいるけど、あっちは困《こま》ってる人を助けたりもするので、どちらかというと親切な妖怪《ようかい》だ。

大男は、階段《かいだん》の下までぼくを送ると、

「このあたりには、ああいういたずら好《ず》きの妖怪《ようかい》が多いから、気をつけるんだぞ」

そういって、山の中へと足を向けた。

「ありがとうございました」

ぼくはお礼をいってから、「あの……」と呼《よ》びとめた。

「なんだ？」

大男がふりかえる。

「じつはぼく、修学《しゅうがく》旅行で〈あやかの七不思議《ななふしぎ》〉について調べてるんですけど……」

この人なら、いろいろ知ってるかもしれない、と思って話を聞きかけたところに、

「おーい、リク」

拝殿《はいでん》の向こうから、シンちゃんがあらわれた。

後ろには、タクミとソラのすがたもある。

「こんなところで、なにしてるんや？」

「あ、シンちゃん。あのね……」

ぼくが事情《じじょう》を説明《せつめい》しようとしたとき、

「ん？」

大男がシンちゃんの方を向いて、鼻をくんくんと鳴らした。

「河童《かっぱ》のにおいがするな」

シンちゃんが、おどろいた様子で固《かた》まっていると、

「お前ら、もしかして七節町《ななふしちょう》のギィの知りあいか？」

大男はぼくたちの顔を見まわすようにしていった。

「ギィを知ってるんですか？」

というぼくのせりふにかぶさるように、

「どうしてわかったんですか？」

シンちゃんがナップザックを開けて、ギィからあずかった手紙を取りだした。

「そうか。あいつの知りあいだったら、これはいらんな」

大男が帽子《ぼうし》をぬぐと、鼻の上に大きな一つ目があらわれ、体がぐんとひとまわりも大きくなった。

「もしかして、ワモォさん？」

ぼくがいうと、山童《やまわろ》のワモォは、大きな目を細めるようにして、にっこりと笑《わら》った。

ぼくはまずみんなに、妖怪《ようかい》にだまされそうになって、ワモォに助けられたことを説明《せつめい》した。

それからワモォに、旅館の近くにある大尾仁山《おおおにやま》の森にいると聞いていたから、こんなところで会うとは思っていなかった、というと、

「ここも大尾仁山《おおおにやま》だぞ」

ワモォは、ぼくがさっきのぼろうとしていた山をふりあおいだ。

大尾仁山《おおおにやま》は面積《めんせき》が広く、〈恩寮閣《おんりょうかく》〉と阿弥香《あやか》神宮は、山をはさんで反対がわになるのだそうだ。

予想外の出あいに、ぼくたちがおどろいていると、ワモォはソラの顔に目をとめて、

「おまえ、前にもきたことあったな」

といった。

「え？」

ソラがぎょっとして、身をかたくする。

ワモォは首をひねりながら続《つづ》けた。

「十年くらい前だったか……山で道に迷《まよ》って、泣《な》いてた娘《むすめ》っこだろ」

「……じゃあ、あれはやっぱり夢《ゆめ》じゃなかったんだ」

ソラはつぶやくようにいった。

「思いだしたの？」

ぼくが聞くと、

「うん」

ソラはうなずいて、きおくをさぐるようにぽつりぽつりと話しはじめた。

三才のとき、おばあさんに連《つ》れられて、大尾仁山《おおおにやま》のふもとの公園にやってくると、

そこで同い年くらいの男の子と知りあった。

ソラがきれいな花をさがしているというと、

「だったら、いいところがあるよ」

男の子は、ソラを山の中にある、小さな池のほとりへと案内《あんない》してくれた。

二人は花をつんだり、草笛をふいたりして遊んでいたけど、しばらくすると頭上に雲が増《ふ》えて、あたりがうす暗くなってきた。

もう帰るというソラに、

「またきてね」

男の子は、少し残念《ざんねん》そうな顔を見せた。

「そのときまでに、草笛を練習しておくから」

花のお礼にとソラが教えた草笛を、男の子はあまりうまくふけなかったのだ。

「うん」

ソラは男の子に手をふって歩きだした。

だけど、なかなか森から出られない。

心細くなってきたソラの目の前に、大きな鬼《おに》があらわれた。

「あれは、あなただったのね」

ソラはそういって、ワモォを見あげた。

「それからのことは、あんまりよく覚《おぼ》えてないんだけど、びっくりしてにげまわっているうちに、山から出られた気がする。もしかして、わたしが山からおりられるように、ワモォがゆうどうしてくれてたの？」

「さっきみたいに、山には人をだましたり化かすやつが多いからな」

ワモォは頭をかいた。

「あいつらはからかってるだけのつもりでも、人間には命にかかわることもある。だから山に迷《まよ》いこんだ人間を見つけたら、なるべく外に連《つ》れだすようにしているんだ」

ソラのときも声をかけようとしたが、ワモォのすがたを見たソラが、ちょうど公園の方に向かったので、そのままにしておいたらしい。

その後、ソラは無事《ぶじ》に森をぬけて、おばあさんの元へもどることができた。

すがたが見えなくなって心配《しんぱい》していたおばあさんは、ソラをぎゅっとだきしめると、

「どこにいってたんだい？」

と聞いた。ソラは、

「男の子に、きれいな花がある場所を教えてもらった」

と答えた。そして、当時は山童《やまわろ》を鬼《おに》と思いこんでいたので、

「鬼《おに》に会った」

とつけたすと、おばあさんは顔色を変えて、いそいで公園をあとにした。

だからいまになっても、ソラに、大尾仁山《おおおにやま》に近づかないように注意したのだろう。

「そういえば、花の場所を教えてくれた男の子はどうなったの？」

ぼくが聞くと、

「それっきりなの」

ソラは小さく口をとがらせた。

その直後におじいさんが亡《な》くなって、おばあさんが家を引きはらったため、阿弥香《あやか》市にくる機会《きかい》をなくしてしまったのだ。

「たぶん、近所の子だと思うから、もしかしたらどこかで会えるかも……」

ソラはそういうと、草の葉をちぎって口にあてた。

ほおをふくらませて、一気に息をふくと、

ピーヒュルヒュル、ピーヒュルヒュルヒュル……

鳥の鳴き声のような高い音が、ソラの口元から飛《と》びだしてくる。

ぼくたちが月森川《つきもりがわ》で、ギィとの合図に使っている草笛とは、まったくちがう音色《ねいろ》だ。

「こっちの草でふくと、こういう音になるの」

ソラがなつかしそうにいったとき、

ピピピピッ、ピピピピッ

ぜんぜんべつの音が、シンちゃんの手元で鳴りだした。

集合時刻《じこく》を知らせるアラーム音だ。

「あ、もういかな」

シンちゃんがうで時計を見て、

「ぼくたち、これから恩寮閣《おんりょうかく》にいくんです」

とワモォにいうと、

「それなら、宿の裏《うら》にある石段《いしだん》をのぼったところに社《やしろ》がある。のちほど、そこでまた会おう」

ワモォはうなずいて、ぼくたちに手をふった。

「いそげ。集合におくれたら、お説教《せっきょう》やぞ」

タクミが地面をけって、シンちゃんとソラがそのあとに続《つづ》く。

「あ、待ってよ」

ぼくはワモォに小さく手をふりかえすと、みんなを追いかけて走りだした。

バスでぐるりと大尾仁山《おおおにやま》をまわりこんで到着《とうちゃく》した恩寮閣《おんりょうかく》は、大きな日本庭園のある、りっぱな旅館だった。

本館と別館《べっかん》があって、ぼくたちは別館《べっかん》を貸《か》しきりにしてもらっていた。

バスをおりて、本館のロビーで集合すると、まずは入館式だ。

校長先生のあいさつと諸注意《しょちゅうい》のあと、六年生を代表してシンちゃんが入館の言葉を読みあげる。

最後《さいご》にみんなで旅館の人たちに、

「よろしくお願《ねが》いします!」

と元気にあいさつをすると、今日宿泊《しゅくはく》する部屋に案内《あんない》された。

ぼくはタクミとヨウスケ、それから地元の野球チーム〈七節《ななふし》ファイターズ〉にはいっているコウヘイと同じ部屋だ。

荷物の整理が終わったら、夕食までは自由行動になる。

さっそく本館の売店でおみやげ選《えら》びをはじめる子や、旅館のまわりを探索《たんさく》する子、部屋でのんびりする子など、みんな思い思いに過《す》ごす中、ぼくたち三班《ぱん》のメンバーは、別館《べっかん》の裏《うら》に集合した。
ワモォが話していたとおり、恩寮閣《おんりょうかく》の別館《べっかん》のすぐ後ろには大尾仁山《おおおにやま》がせまってい
て、石段《いしだん》が続《つづ》いていた。
もしかしたら、父さんの怪談《かいだん》に出てきた石段《いしだん》かもしれないなと思いながら、ぼくた
ちは、旅館の人や先生に見つからないようにのぼった。
しばらく歩くと、石作りの小さな鳥居《とりい》があらわれる。
鳥居《とりい》をくぐっておくに進むと、小さな祠《ほこら》がぽつんとあって、そのそばの大きな岩に
ワモォがこしかけていた。
そして、ぼくたちに気がつくと、
「よくきたな」
といって立ちあがった。
ぼくたちはそれぞれ自己紹介《じこしょうかい》をすると、さっきわたせなかったギィからの手紙を出
した。
ワモォがサッと目を通して、ふふっと低《ひく》い笑《わら》い声《ごえ》をあげる。

「なにが書いてあるんですか？」

気になってぼくがたずねると、

「すもうで対戦《たいせん》するのを楽しみにしている、ということと……」

そこで言葉を切って、ぼくたちの顔を順番《じゅんばん》に見つめた。

「きみたちは人間だが、大切な友だちだから、よろしくたのむとのことだ」

ぼくたちも、もちろんギィのことは友だちだと思っているけど、あらためていわれると、ちょっと照《て》れくさかった。

「ギィって、すもうは強いんですか？」

話題をそらすように、シンちゃんが聞いた。

たしかに、ギィはぼくたちよりも小がらだし、手も足も細い。

それにたいしてワモォの方は、ギィの二倍はありそうな身長に、たくましい手足。

体重をくらべたら、二倍や三倍ではすまないだろう。

だけど、ワモォは手紙を作務衣《さむえ》のポケットにいれて、

「ああ、強いぞ」

と即答《そくとう》した。

「あいつは動きがすばやい上に、相手の力を利用《りよう》して投げるのがうまいからな。いまのところ、二勝二敗《はい》だ」

ワモォのせりふを聞いて、ぼくは首をかしげた。

すもうの対戦《たいせん》は十年に一回といっていたけど、ギィはいったい何才なんだろう。

体が小さいし、声もかん高いから、ぼくたちと同じ子どものつもりで接《せっ》していたけど、河童《かっぱ》と人間では寿命《じゅみょう》がぜんぜんちがうはずだ。

本当は、父さんや母さんよりも年上なのかも……。

「そういえば……」

タクミがソラに向かって口を開いた。

「三才のとき、ソラは山でワモォを見て『鬼《おに》に会った』っていったんだよな？　でも、角もないし、一つ目の鬼《おに》ってめずらしくないか？」

「それなんだけど、もしかしたら絵本のえいきょうかも」

ソラの答えに、タクミはまゆを寄《よ》せた。

「絵本?」

「うん。昔大好《だいす》きだった絵本に、『おにさん、おにさん』っていう、いろんな種類《しゅるい》の鬼《おに》が出てくる話があって、その中に一つ目もいたの。だから、とくに疑問《ぎもん》を持たないで、ワモォのことを鬼《おに》だって思ったんじゃないかな」

「だったら、ソラのおばあさんが話してた『鬼《おに》の祭』の話も山童《やまわろ》のことだったのかな」

タクミの言葉に、ワモォが反応《はんのう》した。

「鬼《おに》の祭?」

「じつは……」

ソラが、おばあさんから聞いた話をすると、ワモォは少し考えてから、

「それはたしかに、おれたちかもしれん」

といった。

山童《やまわろ》たちは、秋になると山おくで祭を開くことがあって、そのときには大きなたいこをたたくのだそうだ。

「もしかしたら、山に迷《まよ》いこんできた人間に、祭を見せてやるつもりで、連《つ》れていこうとしたのかもな」

ワモォはそういって、苦笑《にがわら》いのような表情《ひょうじょう》をうかべた。

「ほかに、この山に伝《つた》わってる不思議《ふしぎ》なお話はありませんか？」

いつのまに取りだしたのか、シンちゃんが課題《かだい》活動用のノートを開いて、ペンを片《かた》手《て》に聞いた。

ワモォはしばらく考えていたけど、

「それやったら、〈がしゃ坊《ぼう》主《ず》〉の話なんか、どうやろう」

もう一度岩にこしをおろして、話しはじめた。

がしゃ坊《ぼう》主《ず》

その昔、大尾仁山《おおおにやま》には山賊《さんぞく》がいた。

彼《かれ》らは山をこえる者をおそっては、荷物やお金をうばっていた。

だから、高価《こうか》なものを運ぶ商人は、人をやとって身を守ってもらっていた。

しかしあるとき、ひとりのお坊《ぼう》さんが、そのことを知らずに山をこえようとして、山賊《さんぞく》におそわれ、殺《ころ》されてしまった。

ふだんはすべてをうばっていく山賊《さんぞく》だったが、お坊《ぼう》さんを殺《ころ》したのは、さすがに気がとがめたのか、持ちものの中で数珠《じゅず》と袈裟《けさ》だけはお坊《ぼう》さんのそばにうめてやった。

その日の夜、山賊《さんぞく》たちが山のかくれ家で火をおこして酒を飲んでいると、袈裟《けさ》を着たガイコツが、数珠《じゅず》を鳴らしながらあらわれた。

山賊《さんぞく》は悲鳴をあげて飛《と》びあがった。

自分たちが殺《ころ》した坊主《ぼうず》が、復《ふく》しゅうにきたと思ったのだ。

その後、山からにげだした山賊《さんぞく》たちが「あれは殺《ころ》された坊主《ぼうず》がうらみをはらすためによみがえった妖怪《ようかい》だ」といいふらしたことがきっかけで、お坊《ぼう》さんのガイコツが人をおそうといううわさが広まった。

りっぱな袈裟《けさ》を着て、数珠《じゅず》で首をしめてくるというこの妖怪《ようかい》を、人々《ひとびと》は〈がしゃ坊《ぼう》主《ず》〉と呼《よ》んで、日が暮《く》れてからは決して山にはいらないようになった。

そんなある日、孫助《まごすけ》という名の男の子が、病気になった母親のために、薬になる花をとろうと、日暮《ひぐ》れが近いにもかかわらず、山に足をふみいれた。

いつもだったら、たくさんさいているはずの花が、その年は台風が多かったこともあって少なく、集めるのに思ったよりも時間がかかってしまい、気がついたときには、あたりはすっかり暗くなっていた。

いそいで帰ろうと、山をおりはじめた孫助《まごすけ》の目の前に、とつぜん袈裟《けさ》を着たガイコツがあらわれた。

がしゃ坊主《ぼうず》だ。

「うわーーーっ！」

悲鳴をあげながらも、花だけは落とさないようににぎりしめながら、孫助《まごすけ》は暗い山道を全速力でかけおりた。

ところが、あわてていたせいで方向をまちがえて、道がくずれていることに気づかずに、足を大きくすべらせた。

とっさにのばした手が、なにかかたいものをつかむ。

目をこらしてよく見ると、それはさっきのがしゃ坊主《ぼうず》の手だった。

孫助《まごすけ》はふるえあがったけど、いまこの手をはなせば、急な斜面《しゃめん》を転げおちてしまう。

目を閉《と》じて手に力をぎゅっとこめると、がしゃ坊主《ぼうず》の方も強くにぎりかえしてきた。

おどろきながらも、両手でがしゃ坊主《ぼうず》の手につかまって、なんとか元の道にはいあがることができた孫助《まごすけ》は、

「あの……助けてくれて、どうもありがとう」

道にすわりこんで、かたで息をしながら、お礼をいった。

がしゃ坊主《ぼうず》は、うれしそうに何度も首をたてにふると、ガシャガシャと骨《ほね》のあたる音をたてながら、立ちさっていった。

孫助《まごすけ》が、ぼうぜんと見送っていると、

「おい、どうしたんだ」

すぐ後ろから、野太い声がした。

ふりかえると、村で何度か見かけたことのある猟師《りょうし》が立っている。

孫助《まごすけ》はホッとして、いま自分の身に起こったできごとを話した。

すると、話を聞きおわった猟師《りょうし》は、ガハハと笑《わら》い声《ごえ》をあげて、

「そうか、がしゃ坊主《ぼうず》に助けてもらったか」

といった。

いっしょに山をおりながら、猟師《りょうし》が教えてくれたところによると、がしゃ坊主《ぼうず》は、殺《ころ》されたお坊《ぼう》さんのガイコツではなく、元は人間ですらないらしい。

「あいつはな、オオカミの骨《ほね》なんだ」

あの骨《ほね》は、食べるものがなくなって、山でうえ死《じ》にしたオオカミのものだと猟師《りょうし》はいった。

生前、山でけがをして苦しんでいるところを、お坊《ぼう》さんに助けてもらったことのあるオオカミは、いつか自分も

人間のお坊《ぼう》さんになりたいと思っていた。

その願《ねが》いは、オオカミが死んで骨《ほね》になってからも、消えることはなかった。

そんなオオカミの骨《ほね》のそばに、ある日とつぜん、きれいな袈裟《けさ》があらわれた。

それはお坊《ぼう》さんをおそった山賊《さんぞく》がうめたものだったが、そんなことは知らないオオカミは、これは仏《ほとけ》さまが自分に授《さず》けてくれたのだと思いこみ、袈裟《けさ》に身をつつんだ。

すると、どういうわけか骨《ほね》の体は、まるで人間みたいに二本足で立てるようになった。

うれしくなったオオカミが、袈裟《けさ》を着て歩いていると、人間たちが山の中で火をおこして、酒を飲んでいる。

こんなところで火をおこしてはあぶないと、注意するつもりで近づくと、人間たちは悲鳴をあげてにげだしていった。

彼《かれ》らがお坊《ぼう》さんを殺《ころ》した山賊《さんぞく》だったのだ。

知らず知らずのうちに山賊《さんぞく》たちを追いだしたがしゃ坊主《ぼうず》は、その後も「善《よ》いおこないをすれば、いずれは人間になれるかもしれない」と信《しん》じて、人助けを続《つづ》けているらしい。

「どうしてそんなにくわしいんですか？」

不思議《ふしぎ》に思って、孫助《まごすけ》がたずねると、

「おれも、昔けがをして動けなくなったところを助けてもらったことがあってな。それ以来《いらい》、あいつとは仲《なか》よくしてるんだ」

猟師《りょうし》はそういって、またガハハと笑《わら》った。

「そのがしゃ坊主《ぼうず》は、いまはどうしてるんですか？」

シンちゃんが聞いた。

「変《か》わってないぞ」

ワモォは答えた。

「いまでも夜になると、ちょうちんを片手《かたて》に山を歩いて、迷《まよ》いこんだ子どもがいないか見てまわっているようだ」

町内会の人がやっている夜回りみたいだな、とぼくは思った。

もっとも、夜の山で袈裟《けさ》を着たオオカミのガイコツに出くわしたら、全速力でにげるだろうけど……。

「これで、七不思議《ななふしぎ》まであとふたつじゃないか？」

タクミがシンちゃんにそう話しかけたとき、

「ねえ。そろそろ集合じゃない？」

ソラがピンクのベルトのうで時計を見ながらいった。

「晩《ばん》めしだ！」

タクミがガッツポーズをする。

「そろそろ、もどろうか」

ぼくはいった。

一年で一番、日暮《ひぐ》れがおそい季節《きせつ》とはいえ、山に降《ふ》りそそぐ光はずいぶんあわくなってきている。

「ギィによろしくな」

ワモォの言葉に、

「よかったら、今度七節町《ななふしちょう》にも遊びにきて」

シンちゃんが答えた。

ぼくたちがワモォと別《わか》れて、石段《いしだん》をおりていると、

ピー、ヒュラヒュラヒュラヒュラ……

山の中から、さっきとよく似《に》た草笛の音が聞こえてきた。

だれかがふいているのだろうか。

「この音……」

一番後ろを歩いていたソラが、つぶやいて足を止める。

「どうしたの?」

ぼくがふりかえると、

「なんだか、すごくなつかしい感じがするの……」

ソラは山を見あげて、音の出所《でどころ》をさがすように、目を細めた。

「おーい、リク、ソラ。いそがないと、晩《ばん》めしにおくれるぞ」

タクミの声に、ぼくとソラは顔を見あわせて、どちらからともなく笑《わら》いだすと、足元に気をつけながらかけおりた。


「それではみなさん、手を合わせてください」

食事係のコウヘイの言葉に、えんかい場に集まったぼくたちは、いっせいにパチンと手を鳴らした。

「いただきます」

「いただきます！」

コウヘイに続《つづ》いて、ぼくたちは元気よくあいさつをすると、さっき工芸館《こうげいかん》でつくったばかりの、自分だけのはしを手に取った。

あのあと、館の方でかんそうや消毒《しょうどく》をして、旅館までとどけてくれたのだ。

ひとりひとりの前に置《お》かれたおぜんも、もちろん地元でつくられたもので、ごうかな食事がところせましとならんでいる。

熱《あつ》くなったミニ鉄板で、ぼくがしいたけと牛肉を焼《や》いていると、

「おかわり！」

タクミがはやくもからっぽになった茶わんを手にして、おひつにかけよった。

ごはんのおかわりは、セルフサービスなのだ。

「あ、ずるいぞ、タクミ」

タクミに対こうして、ヨウスケが大いそぎでごはんをかきこむ。

ふたたびはじまった大食い対決に、みんなから笑《わら》い声《ごえ》がおきた。

夕食が終わると、お風呂《ふろ》の時間だ。

恩寮閣《おんりょうかく》では、別館《べっかん》にも専用《せんよう》の大浴場《だいよくじょう》があるので、ほかのお客さんに気がねせずに使うことができる。

学校の友だちといっしょのお風呂《ふろ》にはいるのは、特別《とくべつ》な感じがした。

「お、露天《ろてん》がある。いってみようぜ」

と、だれかがいって、ぼくたちは外に通じるガラス戸を開けた。

露天風呂《ろてんぶろ》は、中の湯ぶねよりも小さかったけど、お湯は温かかったし、なによりみんなと見あげる夜空は最高《さいこう》だった。

「なあ、リク」

タクミがぼくのかたをたたいて、声を落としていった。

「あれって、さっきいってた、がしゃ坊主《ぼうず》のちょうちんかな」

タクミが指さす方向に目をこらすと、山の上の方に、ぼんやりと明かりが見えた。

ワモォの話が本当だとすれば、ソラのおばあさんが話していたのとは、山の印象《いんしょう》がずいぶんとちがってくる。

人が山にはいったら、すぐに鬼《おに》や妖怪《ようかい》におそわれてしまうようなふんいきだったけど、もしかしたら、それは人間が不用意《ふようい》に足をふみいれないため――つまり、人間と妖怪《ようかい》が平和に住みわけるために、そういう話を伝《つた》えているだけなのではないだろうか。

「妖怪《ようかい》にも、いろいろいるもんな」

いっしょに七節町《ななふしちょう》の不思議《ふしぎ》を体験《たいけん》してきたタクミが、ぽつりといった。

たしかに、人間をだましたり、こうげきしてくるものもいるかもしれない。でも、仲《なか》よくなれる妖怪《ようかい》もたくさんいる。

いつか、人間と妖怪《ようかい》がふつうに暮《く》らせるようになるといいな、と思いながら、ぼくはふわふわと動く山の明かりを見つめていた。

お風呂《ふろ》からあがって、ひとりでおみやげコーナーをのぞいてから部屋にもどると、なぜか電気が消えていた。

同室のみんなが、布団《ふとん》の上に輪《わ》になってすわっている。

真ん中には、だれが持ってきたのか、野球ボールくらいの大きさの丸いライトが、オレンジ色にぼんやりと光っていた。

「よし、これで全員そろったな」

ジャージすがたであぐらをかいたヨウスケが、パン、とひざをたたいた。

「なにがはじまるの？」

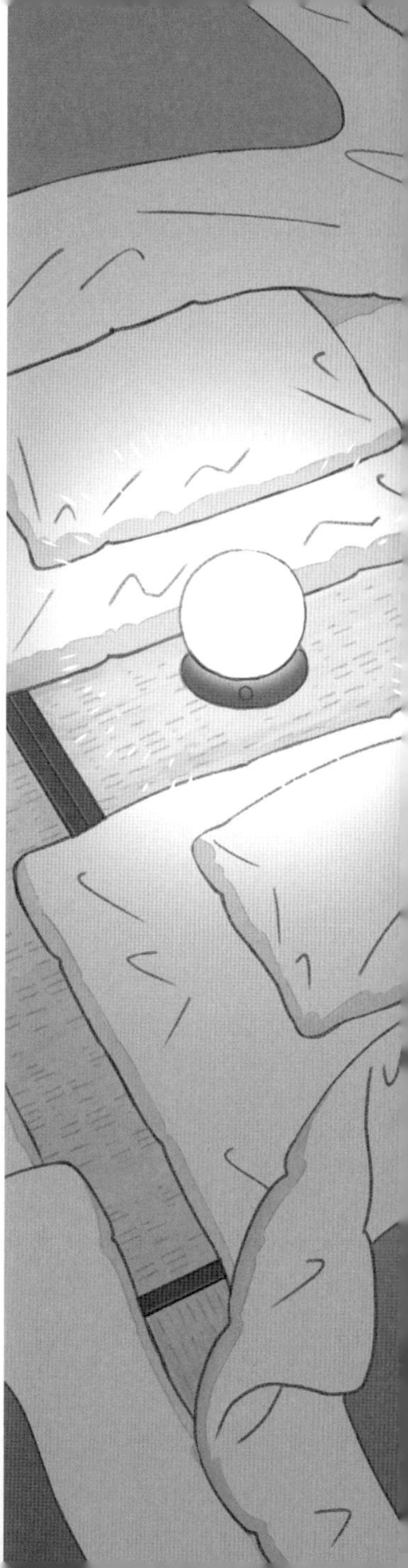

ヨウスケとタクミのあいだにこしをおろしながら、ぼくがたずねると、

「見たらわかるやろ。修学《しゅうがく》旅行の夜といえば、怪談《かいだん》大会や」

ヨウスケは胸《むね》を張《は》っていった。

「そのために、このライトを買ってきたらしいで」

コウヘイがあきれた顔をする。

「ムードが出て、いいだろ」

ヨウスケがいいかえす。

そういえば、ヨウスケはここにくるバスの中でも、〈ひだるい〉の話をしていた。

もしかしたら、この手の話がけっこう好《す》きなのかもしれない。

「だれから話す？」

ヨウスケがわくわくした顔で、ぼくたちを見まわした。

「そしたら、おれからいこか」

タクミがサッと手をあげて、さっきお風呂《ふろ》のあとに、ロビーで旅館の人から聞いた
という話を語りはじめた。

峠《とうげ》の汽車

いまから百年以上《いじょう》前の話。
当時は鉄道が全国にふきゅうしはじめたところで、都市部以外《いがい》ではまだめずらしく、見たことがない者も多かった。
ある暖《あたた》かな秋の日のこと。
平吉《へいきち》という男が山でまきを拾っていると、

ボーーーー

山のおくから、船の汽笛のような音が聞こえてきた。

なんだろうと思っていると、

シュッ、シュッ、シュッ、シュッ……

蒸気《じょうき》の音が近づいてきて、とつぜん目の前に、黒光りした蒸気機関車《じょうききかんしゃ》があらわれた。

機関車《きかんしゃ》は、平吉《へいきち》の前で、

ボーーー、ボーーー

と、警笛《けいてき》を二度鳴らしながら、黒煙《こくえん》をあげて走りさっていった。

すっかり面くらった平吉《へいきち》は、しばらくの間、こしをぬかしてその場にすわりこんでいたが、やがて体が動くようになると、いそいで山をおりた。

そのままのいきおいで、自分の家をめざしているとちゅう、

「おい、平吉《へいきち》。そんなにあわてて、どうしたんだ」

横あいから声をかけられて、平吉《へいきち》は足を止めた。

大工道具をかたにかついだ男が手をふっている。

「おお、宗太《そうた》か」

男は、同じ村に住む宗太《そうた》だった。

「いま、や、山の中を、き、汽車がいきなり……」

平吉《へいきち》は興奮《こうふん》していて、話がわかりづらかったが、要《よう》するに、山でまきを拾っていたら、とつぜん機関車《きかんしゃ》が目の前を通過《つうか》していった、ということらしい。

「なにをゆうてるんや」

宗太《そうた》はあきれていった。

「そんなことが、あるわけないやろ。おおかた、キツネかタヌキにでも化かされたんとちがうか?」

だけど、平吉《へいきち》はぶんぶんと首をふって、

「そんなことはない。お前もいっぺん見てみたらわかる」

と主張《しゅちょう》する。

そこまでいうのならと、宗太《そうた》は翌日《よくじつ》、山にはいった。

秋の山にも、食べられる草や木の実はたくさんある。宗太《そうた》が山菜《さんさい》を採《と》って、背中《せなか》のかごにいれたとき、

ボーーーー

どこからか、汽車の警笛《けいてき》が聞こえてきた。

これか、と思っていると、シュッシュッシュッ、と蒸気《じょうき》の音が近づいてきて、とつぜん木の間から機関車《きかんしゃ》があらわれた。

そのはくりょくに、いっしゅんあっとうされた宗太《そうた》だったが、すぐに、あれ？　と思った。

新しいものが好きな宗太は、何度か町まで蒸気機関車《じょうききかんしゃ》を見にいったことがある。

そのときにくらべて、いま目の前を通りすぎていった機関車《きかんしゃ》は、ひとまわり小さいような気がしたのだ。

それに、あれだけ大きなものが通ったにしては、枝《えだ》も折《お》れていなければ、車輪《しゃりん》のあともない。
これはおかしいぞ、と思いながら機関車《きかんしゃ》の後ろすがたを見送っていた宗太《そうた》は、あることに気がついた。

堂々《どうどう》とした車体の後ろから、ふさふさとしたしっぽが、ひょっこりと生えていたのだ。

なるほど、これはタヌキが化けているんだな、と心の中でニヤリとしたが、わざとおどろいた口調《くちょう》で、

「これはたまげた。こんな山の中で、機関車《きかんしゃ》を見ることができるとは。もう一度、通らないもんかなあ」

山の中に呼《よ》びかけるようにそういった。

すると、しばらくして、さっき機関車《きかんしゃ》が走りさっていった方向から、

ボーーーーー

と、警笛《けいてき》の音が聞こえて、蒸気《じょうき》をあげながら機関車《きかんしゃ》がふたたび森の中をやってきた。

宗太《そうた》は、先頭の機関車《きかんしゃ》が自分の前にきたしゅんかん、

「こらっ！」

と、どなりつけた。

びっくりしたタヌキは、

「ぎゃっ」

と、さけんで、元のすがたにもどると、あたふたと去っていった。

「はっはっはっはっは」

宗太《そうた》が大笑《おおわら》いしながら山をおりると、平吉《へいきち》がかけよってきた。

「どうやった？」

「うん。やっぱりタヌキやったぞ」

宗太《そうた》は得意《とくい》になっていった。

「いっかつしたら、にげていきおったわ」

「ん？　それは山菜《さんさい》か？」

平吉《へいきち》がかごに目をとめる。

「おお。大量《たいりょう》や」

宗太《そうた》がかごをおろして、平吉《へいきち》に中身を見せていると、

「おーい、宗太《そうた》」

道の向こうから、自分の名前を呼《よ》ぶ声がした。

顔をあげると、畑の向こうで平吉《へいきち》が手をふっている。

え？　と思ってふりかえると、タヌキが山菜《さんさい》のはいったかごを背《せ》おって、山の中へとかけこんでいくところだった。


「そいつは汽車に化けたタヌキの息子《むすこ》で、人間にしてやられた父親の敵《かたき》をうつために、先まわりして平吉《へいきち》に化けてたんやって」

タクミはそうしめくくって、ペットボトルの水をぐいっと飲んだ。

そのまま〈あやかの七不思議《ななふしぎ》〉に使えそうな話だな、と思っていると、

「じゃあ、つぎはおれが話そうか」

コウヘイが名乗りでた。

〈七節《ななふし》ファイターズ〉で四番を打っているコウヘイは、

「うちのチームのコーチも、七節《ななふし》小の卒業生《そつぎょうせい》なんやけどな……」

そんなふうに話を切りだした。

「いまから話すのは、コーチの同級生の、リナさんっていう女の人が、修学《しゅうがく》旅行でじっさいに体験《たいけん》した話や。コーチが今年三十才やから、いまからだいたい二十年近く前の話かな……」

ひとり多い

「ほかのお客さまもいらっしゃるので、ご迷惑《めいわく》にならないよう、気をつけて楽しん

できてください」

校長先生の言葉に、

「はーい!」

みんなは元気よく返事をすると、お目あてのアトラクションめざして、いっせいに移動《いどう》をはじめた。

修学《しゅうがく》旅行の二日目は、〈あやかしの里〉で自由行動だ。

〈あやかしの里〉は、その名の通り〈あやかし〉がコンセプトのテーマパークで、乗りものにも、〈ゆれる幽霊船《スーパーバイキング》〉とか、〈高速妖怪列車《ジェットコースター》〉など、独特《どくとく》な名前がついている。

リナが同じ班《はん》のミサキとユイといっしょに、〈回転おばけ《メリーゴーラウンド》〉をめざしていると、

「リナ、だいじょうぶ?」

ミサキがリナの顔をのぞきこんで聞いた。

「うん、ありがと」

リナは笑顔《えがお》を見せたけど、声にあまり力がないことは、自分でもわかっていた。

じつは、親友のアキナが、出発の前日に高熱《こうねつ》を出して、修学旅行《しゅうがくりょこう》にこられなかったのだ。

アキナはおさないころから体が弱く、入退院《にゅうたいいん》をくりかえしてきた。

学校行事も休まないといけないことが多く、今回の修学《しゅうがく》旅行を楽しみにしていただけに、残念《ざんねん》だった。

「なあ、知ってる?」

前を歩いていたユイが、くるりとふりかえって二人にいった。

「ここって、〈あやかしの里〉だけあって、たまに本物の妖怪《ようかい》がついてくることがあるらしいで」

「ちょっと、やめてよ」

こわがりのリナは、ユイのかたを軽くたたいた。

入り口のショップで売っていた、ぬいぐるみの河童《かっぱ》とかタヌキみたいな妖怪《ようかい》だったらかわいいかもしれないけど、おそろしい顔をした鬼《おに》がいつのまにかとなりにいたらと思うとゾッとする。

そんな話をしているうちに、三人はアトラクションの乗り口に到着《とうちゃく》した。

ふつうの〈回転木馬《メリーゴーラウンド》〉では馬や馬車がぐるぐると回るが、〈あやかしの里〉の〈回転おばけ《メリーゴーラウンド》〉は、馬の中に、しっぽのたくさんあるキツネや一反木綿《いったんもめん》のような妖《よう》怪《かい》が混《ま》じっている。

リナはサルの顔にトラの足、ヘビのようなしっぽを持つ〈鵺《ぬえ》〉という妖怪《ようかい》の背中《せなか》に乗った。

回転がはじまり、近くを通りかかったクラスメイトに手をふっていると、

「うふふふふ……」

耳元で、かすかに笑《わら》い声《ごえ》が聞こえたような気がした。

びくっとしてふりかえったひょうしに、鵺《ぬえ》から落ちそうになって、あわててポールにつかまりなおす。

平日の午前中ということもあって、園内は空いていたので、リナのまわりにはだれも乗っていなかった。

それなのに、さっきの声はすぐそばから聞こえてきたのだ。

リナは回転が止まるまで、ポールを両手でしっかりとにぎりしめ、まわりを見ないようにうつむいていた。

〈回転おばけ《メリーゴーラウンド》〉をおりた三人は、続《つづ》いて〈高速妖怪列車《ジェットコースター》〉へと向かった。

形はふつうのコースターだが、百鬼夜行《ひゃっきやこう》をテーマにしていて、さまざまな妖怪《ようかい》のイラストが車体にえがかれている。

リナのとなりは空席《くうせき》だったが、コースを走っている間、リナはずっとすぐそばにだれかがいるような気配《けはい》を感じていた。

その後もアトラクションをまわって、すっかりおなかが空いたリナたちは、レストランでお昼ごはんを食べることにした。

テーブル席《せき》に通されて、お店の人が水のはいったグラスをならべる。

それを見て、リナは思わず、え？　と声をあげた。

リナたちの前に、四つのグラスが置《お》かれていたのだ。

「あの……ひとつ多いんですけど……」

ユイが声をかけると、

「あら、ごめんなさい」

お店の人はグラスをひとつ手に取って、
不思議《ふしぎ》そうに首をかしげながらもどっていった。

「これって、もしかして妖怪《ようかい》がついてきてるとか……」

ミサキの言葉に、

「まさか」

リナは笑《わら》って否定《ひてい》したけど、
不安な気持ちは消えなかった。

それでも、食事をすませておなかがいっぱいになると、気分も変《か》わって、三人はアトラクションめぐりを再開《さいかい》した。

そして、集合時間が近づいて、最後《さいご》は観覧車《かんらんしゃ》に乗ることにした。

ゴンドラにはそれぞれ、妖怪《ようかい》の名前がついている。

リナたちが乗ったゴンドラには、しっぽが二本に分かれて後ろ足で立つ〈猫又《ねこまた》〉のイラストがえがかれていた。

てっぺん近くまであがると、〈あやかしの里〉だけではなく、自然豊《しぜんゆた》かな阿弥香市《あやか》全体を見わたすことができた。

「わー、きれい」

リナが窓《まど》から見おろして歓声《かんせい》をあげると、

「わたしもいっしょにきたかったたな……」

また耳元で聞こえた。

どきっとして顔をあげると、窓《まど》ガラスにうつる自分のとなりに、アキナがいた。

「アキナ!?」

リナが悲鳴のような声を出すと、アキナの顔はさびしそうにほほえんで、スーッと消えていった。

なにごとかとおどろいている二人にリナは、

「いま、アキナが……」

といった。

もしかして、朝からずっと感じていた気配《けはい》は、アキナのものだったのだろうか。

まさか、アキナの身になにか……。

ゴンドラが地上におりると、リナは二人を置《お》きざりにして、集合場所の花時計前へと走った。

「おう、リナ。早かったな。一番乗りやぞ」

担任《たんにん》の先生が、笑顔《えがお》で出むかえる。

「先生！　アキナはだいじょうぶですか？」

リナは強い口調《くちょう》でつめよった。

「アキナ？　ああ、アキナは残念《ざんねん》やったな……」

先生はまゆを寄《よ》せて、わずかに顔をふせた。それを見て、リナはその場にくずおれた。

「そんな……」

「え、ど、どうした？」

わけがわからずに、先生があわてていると、ミサキとユイが追いついてきた。

「先生、アキナになにかあったんですか？」

ミサキに聞かれて、先生は首を横にふった。

「ん？　いや、とくになにもないぞ」

「え」

リナがはじかれたように体を起こす。

「だって、いま、残念《ざんねん》やったなって……」

「ああ。だから、修学《しゅうがく》旅行にこられなくて残念《ざんねん》やったなって……」

先生の言葉に、リナは体中の息をはきだした。

旅行から帰ると、家に荷物を置《お》いたリナは、すぐに近所にあるアキナの家へと向かった。

ベッドの上でおみやげを受けとったアキナは、小さな声で、

「観覧車《かんらんしゃ》からの景色《けしき》、きれいやったね」

といって、にこっと笑《わら》った。

「こういうの、生霊《いきりょう》ってゆうんかな……。いっしょにいきたい気持ちが強すぎて、意識《いしき》だけが〈あやかしの里〉に飛《と》んでいったんとちゃうかって、コーチがゆってたわ」

「そうかもね」

妖怪《ようかい》も不思議《ふしぎ》だけど、人間の心も不思議《ふしぎ》だなと思いながら、ぼくはうなずいた。

残《のこ》るはあと二人だ。

怪談《かいだん》大会をいいだしたヨウスケに最後《さいご》をまかせることにして、ぼくは口を開いた。

「これは、父さんから聞いた話なんだけど……」

なるべく低《ひく》い声で、みんなの反応《はんのう》を見ながら、丑《うし》の刻参《こくまい》りの話を進めていく。

そして、クライマックスで、

「お前だ！」

ぼくはとつぜん大声を出して、タクミのうでをガッとつかんだ。

「ひやあっ！」

おどろいたタクミが、大きな悲鳴をあげながら、その場で飛《と》びあがる。

「ひってえなあ……」

呼吸《こきゅう》を整えながら、ぼやくタクミの様子に、笑《わら》い声《ごえ》がおこった。

「ごめんごめん。ぼくも父さんにやられたんだ」

ぼくは手を合わせてあやまった。

「それじゃあ、ラストはおれやな」

ヨウスケがすわりなおして、にやにやと笑《わら》いながら、話しだした。

「これは、修学《しゅうがく》旅行にくる前に、この旅館の名前を検索《けんさく》して見つけた話なんやけどな……」

窓《まど》

小学校の修学《しゅうがく》旅行で、ぼくたちは、恩寮閣《おんりょうかく》という旅館の別館《べっかん》に泊《と》まることになった。

お風呂《ふろ》からあがって部屋にもどると、五人部屋のはずなのに、なぜか倍くらいの男子が集まっている。

いまからここで、怪談《かいだん》大会がはじまるらしい。

みんなで輪《わ》になって、本で読んだこわい話や、金しばりの体験談《たいけんだん》なんかを、順番《じゅんばん》に話していく。

そして、最後《さいご》に十人目がこんな話をはじめた。

「昔、修学《しゅうがく》旅行でこの部屋に泊《と》まった男の子が、開いた窓《まど》にこしかけて、友だちとおしゃべりをしているうちに、バランスをくずして窓《まど》から落ちてしまうという事故《じこ》があったんだ。

男の子は打ちどころが悪くて、残念《ざんねん》ながら亡《な》くなってしまった。

それ以来《いらい》、この部屋でこわい話をすると、その子が自分のことを話してると思って、みんながねてからたずねてくるんだって。

だから、もし夜中に窓《まど》をたたく音が聞こえても、ぜったいに開けてはいけないよ」

「もし開けたらどうなるんだ？」

ぼくがたずねると、その子はにやりと笑《わら》って、

「もし開けたら……」

といいかけた。

そのとき、ガラッと部屋のふすまがあいて、先生が顔を出した。

「ほら、そろそろ就寝《しゅうしん》時間だぞ。自分の部屋にもどりなさい」

「はーい」

ほかの部屋の男子が、しぶしぶ立ちあがる。

ぼくは、なにげなく人数を数えて、あれ？　といった。

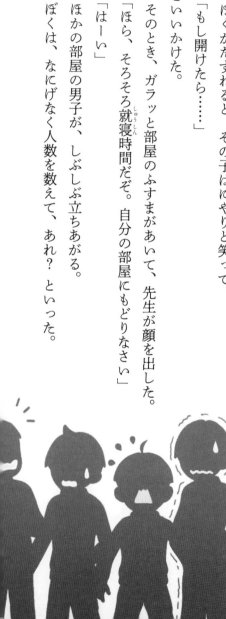

「ひとり足りない」

「え？」

「ほんとだ……」

ほかのみんなも、ざわめきだす。

「どうしたんだ？」

先生が不思議《ふしぎ》そうに、みんなの顔を見まわした。

「あの……さっきまで、十人いたはずなんですけど」

みんなを代表してぼくが答えると、

「なにいってるんだ？　一、二、三……九人じゃないか」

先生はひとりずつ指をさしながら数えていった。

「でも……」

反論《はんろん》しようとして、ぼくは口を閉《と》ざした。

そういえば、あの十人目はだれだったんだろう。

同じ学年の男子は全員知っているはずなのに、十人目の名前が出てこない。

なんとなくおかしなふんいきになって、ほかの部屋の男子たちは、にげるように帰っていった。

元々《もともと》この部屋のぼくたちは、できるだけ窓《まど》から布団《ふとん》をはなしてねることにした。

電気を消してしばらくたつと、みんなつかれていたのか、ね息が聞こえてきた。

そんな中、ぼくがなかなかねつけないでいると、

コツ、コツ、コツ

窓《まど》をかたいものでたたくような音がした。

そっと体を起こして部屋を見まわすけど、だれも起きる気配《けはい》はない。

コツ、コツ、コツ

また同じ音がして、気になったぼくは、布団《ふとん》からぬけだすと、そっとカーテンを開けた。

だけど、外には真っ暗な裏庭《うらにわ》が見えるだけだった。

たぶん、木の枝《えだ》かなにかが飛《と》んできて、窓《まど》にあたったんだろう。

ホッとして、カーテンを閉《し》めなおそうとしたとき、

ススススッ……

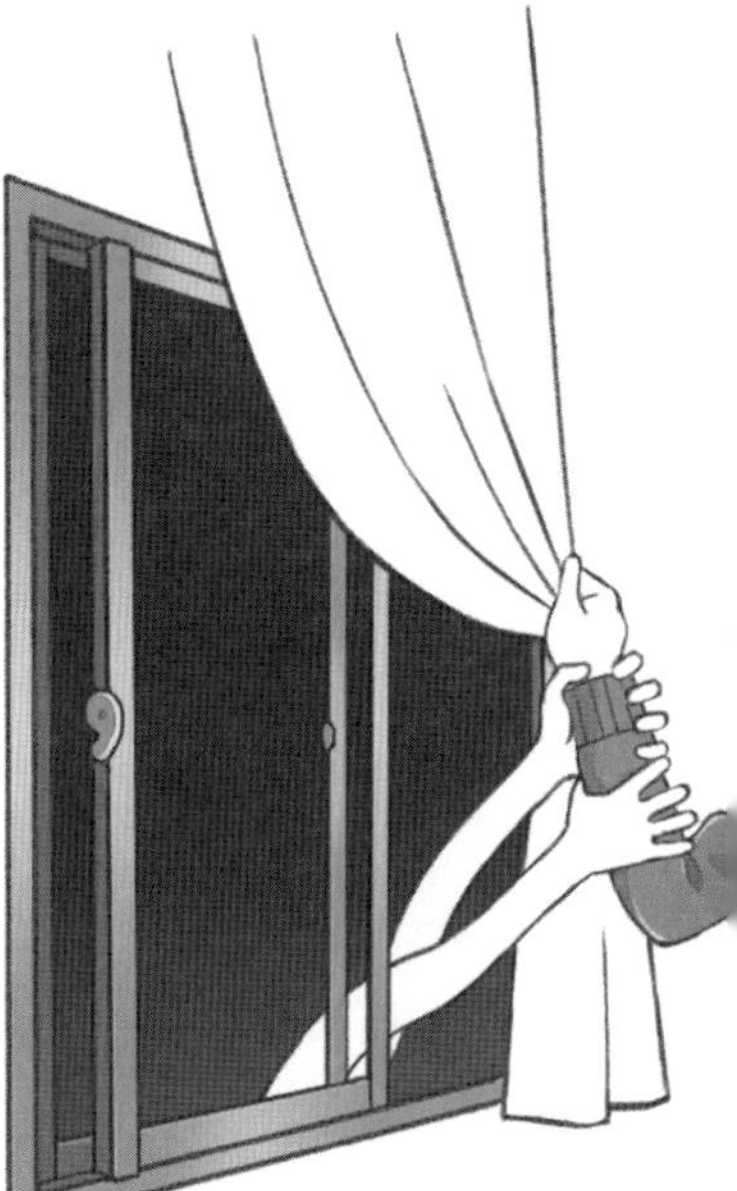

ねる前にかぎをかけておいたはずの窓《まど》が、ゆっくりと開いて、下からヌーッと白い手がのびてきた。

金しばりにあったように動けないでいると、白い手はぼくの手首を強くつかんだ。

そのままグッと引っぱられるかんしょくに、やばい、と思ったとき、

「——っくしょん！」

部屋のだれかが大きなくしゃみをして、いっしゅん、手の力がゆるんだ。

そのすきに、思いきりふりはらうと、白い手はあきらめたように、スーッと窓《まど》の下に消えていった。

「もしその手につかまれたままやったら、たぶん、窓《まど》から引きずりおとされてたんとちがうかな……」

ヨウスケが話をしめくくろうとしたとき、部屋のふすまがサッと開いて、白い人かげがはいってきた。

ぼくたちが声もなく固《かた》まっていると、

「あら？　こんな暗い部屋でライトなんか囲《かこ》んで、どうしたの？」

パチン、と音がして、部屋の電気が点《つ》いた。

スイッチのそばに立っていたのは、増田《ますだ》先生だった。

消灯《しょうとう》前の見まわりのようだ。

先生はぼくたちの様子を見て、なにをしていたのかわかったみたいで、

「こわい話もいいけど、もうすぐ就寝《しゅうしん》時間だから、ねむれなくなったりしないようにね」

そういうと、にこりと笑《わら》った。

先生がかえっていくと、ぼくたちはライトを片《かた》づけて、ねることにした。

電気を消して、布団《ふとん》にはいる。

学校の友だちと同じ部屋でねているというのがすごくしんせんで、ぼくたちはおしゃべりを続《つづ》けたけど、しばらくすると、さすがに昼間のつかれが出てきたのか、みんなの声が遠くなって、いつのまにかぼくはねむりについていた。


遠くの方から呼《よ》ばれている気がして、ぼくは目を覚《さ》ました。

……ヒュールルル……ピー………ヒュルル……


耳をすますと、窓《まど》の外から鳥の鳴くような音が聞こえてくる。

夕方の草笛だ。

部屋を見まわすと、タクミも気づいたみたいで体を起こしてきょろきょろしている。

ぼくは布団《ふとん》をぬけだすと、窓《まど》に近づいた。

さっきのヨウスケの話が思いだされて、ちょっとこわかったけど、思いきってカーテンを開ける。

窓《まど》の外に白い手はなかったけど、べつのものを見つけて、ぼくは小さく「あっ」と声をあげた。

タクミを手招《てまね》きして、窓《まど》の外を指さす。

「ねえ、あれって……」

タクミもぼくのとなりから外を見て、目を見開いた。

「ソラやないか。あいつ、なにしてるんや」

ソラが部屋着がわりのジャージのままで、さっきのぼった石段《いしだん》の方へと、ふらふらと歩いていたのだ。

ぼくとタクミは、無言《むごん》でうなずきあうと、ヨウスケとコウヘイを起こさないように気をつけながら、昼間の服装《ふくそう》にすばやく着がえて部屋を出た。

みんなねているのか、旅館のろうかは物音ひとつせずに、静《しず》まりかえっている。

裏口《うらぐち》のかぎが開いていたので、ぼくたちが外に出ようとしたとき、

「おい」

後ろから声をかけられて、心臓《しんぞう》が飛《と》びだしそうになった。

「おまえらも、ソラを見たんか?」

ふりかえると、そこにいたのはシンちゃんだった。

べつの部屋のシンちゃんも、あの音に目が覚《さ》めて、ソラが裏山《うらやま》へといこうとしていることに気づいたらしい。

ぼくたちは三人そろって旅館を出た。


ピーヒュル、ピーヒュル、ピーヒュルル……


草笛の音が、山の上からはっきりと聞こえてくる。

なんだか、「こっちにこいよ」と呼《よ》ばれているみたいだ。

ソラも、この音色《ねいろ》にさそいだされたのだろうか。

「よし、いくぞ」

そういって、シンちゃんが足元を小型《こがた》のペンライトで照《て》らした。

用意のよさにおどろいていると、

「さっき、たまたま売店で買ったんや」

シンちゃんはニッと笑《わら》って、ライトを見せてくれた。

たしかに、〈恩寮閣《おんりょうかく》〉と書かれた木札《きふだ》のキーホルダーがついている。

ぼくたちはライトの明かりをたよりに、石段《いしだん》をしんちょうにのぼった。

ソラのすがたは、もう見えなくなっている。

山童《やまわろ》と会った社《やしろ》までのぼったところで、耳をすませると、森のおくからかすかに笛の音が聞こえてきた。

よく見ると、木々《きぎ》のあいだに道のようなものが見える。

「あっちや」

シンちゃんが先にたって、森の中へとはいっていった。

ぼくとタクミもあとに続《つづ》く。

ホーホーと鳥の鳴く声や、ガサガサッというしげみの音に、ときおりビクッと足を止めながらもしばらく歩くと、道の真ん中に木のおけが落ちていた。

なんだろう、と思って、ぼくがのぞきこもうとすると、

「あぶない!」

タクミが後ろからぼくのうでをつかんで、強く引っぱった。

ぼくがしりもちをつくのと同時に、ヒュン、とするどい音がして、おけが引きあげられていく。

ぼくがあっけに取られていると、木の上から声が聞こえてきた。


「いがいとかしこい」


「〈つるべおろし〉や」

タクミがいった。

「つるべおろそか、ぎいぎいぎい」

頭上から、楽しげな声が聞こえてきたかと思うと、

ガシャン！


目の前に、つるべがいきおいよくおりてきた。

地面に落ちたひょうしに、中から小判《こばん》ではなく、かがみもちくらいの大きさの石が転げでる。

あんなものが頭にあたったら、ただではすまないだろう。

よけながら走りぬけようと思ったけど、いく手をさえぎるようにして、つぎつぎと石が落ちてくるので、なかなか前に進めない。

ぼくたちが息を切らしながら、右へ左へ走っていると、ペンライトでまわりを照《て》らしてくれていたシンちゃんが、石につまずいて転んでしまった。

「シンちゃん！」

ぼくが助けにいこうとしたとき、頭上でタクミの、

「わっ！」

という声がしたかと思うと、道をふさぐほどの大きな首が、さかさまになって落ちてきた。

「ぐぐぐ……」

大首はうめき声をあげていたけど、やがてそのまま動かなくなった。

なにが起こったんだろうと思っていると、

「うまくいったな」

タクミがするすると木からおりてきた。

どうやら、得意《とくい》の木のぼりで、つるべおろしの背後《はいご》にまわっておどかしたようだ。

「いそごう」

目を回しているつるべおろしを残《のこ》して、シンちゃんが走りだす。

だけど、しばらく進んだところで、とつぜん足を止めて、その場にうずくまった。

「どないしたんや？　だいじょうぶか？」

タクミが追いついて、その背中《せなか》に手を置《お》いたかと思うと、同じようにおなかをおさえて、しゃがみこんだ。

二人のそばにかけよったぼくも、急に動けなくなって、地面にひざをつく。

夜にあれだけ食べたのに、おなかがすいてたまらないのだ。

まるで、何日もごはんを食べてないみたいに体中から力がぬけていく。

（〈ひだるい〉だ……！）

ぼくは気力をふりしぼって、ズボンのポケットをさぐった。

部屋を出るときに着がえてきたので、ポケットに、バスでヨウスケからもらったアメがはいっている。

そのうちのひとつを口に放りこむと、さっきまでの空腹《くうふく》がうそみたいに、みるみる元気になった。

シンちゃんとタクミの口にもひとつずつアメをいれると、二人ともすぐに立ちあがった。

いそいでソラを追いかけようとして、ぼくたちは困《こま》った。

いつのまにか、笛の音が聞こえなくなっていたのだ。

これでは、ソラがどこにいるのかわからない。

ぼくたちが身動きできずにいると、森のおくで、ぼんやりと明かりがうかんでいるのが見えた。

目をこらすと、袈裟《けさ》を着たガイコツが、ちょうちんを手にさげて、左右にゆらゆらとゆらしている。

「〈がしゃ坊主《ぼうず》〉だ……」

ぼくはつぶやいた。

がしゃ坊主《ぼうず》は、ついてこいというように手招《てまね》きをして、暗がりへとすがたを消した。

ぼくたちは、あわててあとを追った。

ちょうちんの明かりをたよりに、暗い森の中をかけぬける。

すると、とつぜん視界《しかい》が開けて、広場のような場所にたどりついた。

中央にソラがぼんやりとした表情《ひょうじょう》で立っている。

「ソラ！」

ぼくは走りよって、かたをゆさぶった。

ソラは夢《ゆめ》から覚《さ》めたように、何度かまばたきをすると、ぼくの背後《はいご》に目を向けて、

「あぶない！」

と、さけんだ。

「え？」

ぼくがふりかえると、三メートルくらいはありそうな赤い顔の鬼《おに》が、巨大《きょだい》な金棒《かなぼう》をふりかぶっていた。

ぼくはとっさにソラをつきとばして、自分も地面に身を投げだした。

ブウン！

金棒《かなぼう》がすごいいきおいで空《くう》を切る。

ぼくはソラに手をのばそうとしたけど、

「があああああっ！」


鬼《おに》が大声をあげながら、ぼくの前に立ちはだかった。

「リク！　はなれろ！」

シンちゃんがペンライトの光を、鬼《おに》の目に向ける。


「ぐあああっ！」


鬼《おに》がまぶしそうに、顔の前で手をふった。

さらに、木の上にのぼったタクミが、鬼《おに》をねらって石を投げる。

鬼《おに》がひるんだすきに、ぼくはソラの手を取って、森の方へとにげだした。

「待てーっ！」

鬼《おに》が金棒《かなぼう》をふりまわしながら追いかけてくる。

追いつかれる！　と思ったしゅんかん、

「だいじょうぶか？」

目の前に、とつぜんワモォがあらわれた。

そばにはちょうちんを持ったがしゃ坊主《ぼうず》がいる。どうやら、ワモォを連《つ》れてきてくれたみたいだ。

「鬼《おに》が……」

ぼくはそういって、後ろをふりかえった。

すると、鬼《おに》はなぜか金棒《かなぼう》をおろして、困《こま》ったような顔で動きを止めていた。

どうしたんだろう、と思っていると、

「こらっ！」

ワモォが鬼《おに》に向かってどなった。

「ひゃあっ」

鬼《おに》はうらがえった声をあげると、足をつるんとすべらせて、その場にしりもちをついた。

そのおしりから、ふさふさとしたしっぽがはみだして、二本のりっぱな角が耳に変《か》わる。

大きな体はしゅるしゅると縮《ちぢ》んで、あっという間に、かわいらしいタヌキのすがたがあらわれた。

手には、さっきまで金棒《かなぼう》だった木の枝《えだ》をにぎっている。

ぼくたちがぼうぜんとしていると、ソラがしょんぼりしたタヌキの元へかけよって、しゃがみこんだ。

「もしかして……あのときの男の子？」

ソラの言葉に、タヌキはチラッと顔をあげると、こくんとうなずいた。


いまから九年前。

山のふもとで人間に化ける練習をしていたタヌキのヌゥは、自分がどれだけうまく化けられたかためしてみようと、公園で遊んでいた、当時三才のソラに声をかけた。

きれいな花をさがしているというソラに、森の中にある池のほとりを案内《あんない》すると、

「わあ、すごい」

ソラは目をかがやかせて、お礼にと、最近覚《さいきんおぼ》えたばかりの草笛のふき方を、ヌゥに教えてくれた。

じつは、大尾仁山《おおおにやま》に住むタヌキには、草笛をうまくふけないと一人前とはいえない、という風習があった。

そんな中、ヌゥは草笛が苦手で、なかなか音が出せずになやんでいたのだが、ソラに教えてもらうと、へたながらも音が出せるようになった。

ヌゥは感激《かんげき》して、もう帰らないといけないというソラに、

「また遊びにきておくれ。それまでに、もっとうまくなっておくから」

といって別《わか》れた。

そして、九年の月日がたった今日の午後、阿弥香《あやか》神宮でなつかしいソラの草笛を聞いたヌゥは、約束《やくそく》通り遊びにきてくれたとよろこんで、山の反対がわにある社《やしろ》をおとずれたソラに聞こえるように、笛を鳴らした。

ところがなにも返事がなかったので、自分のことをわすれてしまったのかとはらを立てたヌゥは、特別《とくべつ》な草笛で、ねむっているソラを呼《よ》びだしたのだ。

「特別《とくべつ》な草笛?」

ぼくは思わず口をはさんだ。

「そんなのがあるの?」

「うん」

ヌゥは力なくうなずいた。

「大尾仁山《おおおにやま》のおく深くに生えている特別《とくべつ》な草を使って、おれたちタヌキが強く念《ねん》じ

ながら笛をふけば、人間の心に直接呼《ちょくせつよ》びかけることができるんだ」

ヌゥはソラに向けて山にくるよう念じながらふいたんだけど、ぼくたちも妖怪《ようかい》と仲《なか》よくしているせいか、笛のえいきょうを受けて目が覚《さ》めたらしい。

特別《とくべつ》な草笛をふくには、かなりのうで前が必要《ひつよう》なのだが、九年前から練習を重ねたおかげで、ヌゥはいまや大尾仁山《おおおにやま》で一番のふき手になっていた。

ソラを呼《よ》びだしたヌゥは、昔みたいにいっしょに遊ぼうとしたものの、ぼくたちが追いかけてきたのを見て、じゃまをされると思い、鬼《おに》に化けて追いはらおうとした。

そこをワモォにいっかつされて、術《じゅつ》が解《と》けてしまったのだ。

「悪かったな」

話が終わると、ヌゥはあらためて頭をさげた。

「わたしの方こそ、なかなかこられなくてごめんなさい」

ソラがヌゥを正面から見つめながらいった。

そして、おじいさんが亡《な》くなって家を処分《しょぶん》したことで、阿弥香市《あやか》にくる機会《きかい》がなくなったのだと説明《せつめい》した。

「ずっと待っててくれたんだね……さっきはわたし、ねぼけてたから、もう一回、あなたの草笛を聞かせてくれる？」

ヌゥはパッと顔をあげて、

「ああ、いいぞ」

というと、その場でくるっと後ろちゅうがえりをした。

五、六才くらいの、人間の男の子が目の前にあらわれる。

男の子は、近くにあった草をちぎって指ではさむと、口元にあてた。そして、大きく息をすいこむと、目を閉《と》じてふきはじめた。

ピィーーィーー……ヒュルルルー……

ピィーーィーー……ヒュルルルー……

月までとどきそうな、澄《す》んだ音色《ねいろ》が森の中にひびきわたる。

ONIBI

ヌゥが草笛をふいていたのは、ほんの一分くらいのあいだだったけど、ふきおわってからも、音のよいんがぼくたちのまわりにただよっていた。

「すげえな」

最初《さいしょ》に声を発したのは、タクミだった。

「うん、すごく上手だった」

ソラが目をかがやかせて、はくしゅをする。

「いっぱい練習したんだね」

男の子のすがたのヌゥが、照《て》れたように頭に手をやった。

プー、プーと、おかしな音が聞こえるのでとなりを見ると、シンちゃんが草を口にあてて、首をひねっていた。

「おかしいな……月森川《つきもりがわ》の草やったらうまくふけるのに……」

「草の種類《しゅるい》がちがうからね」

ソラが笑《わら》って、シンちゃんにふきかたを教える。

それをきっかけに、ソラとヌゥを先生にして、草笛教室がはじまった。

ワモォもちょうせんするけど、顔の大きさに対して草が小さすぎて、なかなかうまくふけないみたいだ。

がしゃ坊主《ぼうず》はガイコツなので、骨《ほね》と骨《ほね》のあいだから、空気がもれてしまう。

それでも、ぼくたちは時間をわすれて、草笛と手びょうしで合奏《がっそう》を楽しんだ。

「そろそろ帰らなくていいのか？」

夜空を見あげて、ワモォがいった。

時計がないので、正確《せいかく》な時間はわからないが、月の位置《いち》から計算すると、もうとっくに真夜中になっているらしい。

なごりおしかったけど、明日も朝はやくから予定があるので、ぼくたちは旅館にもどることにした。

「またきっと遊びにくるからね」

別《わか》れぎわにソラがいうと、

「待ってるぞ」

タヌキのすがたにもどったヌゥが、うれしそうにうなずいた。

「みなさん、おはようございます。よくねむれましたか？」

朝食会場であいさつをする校長先生に、

「はーい」

みんなが元気よく返事をするなか、

「はー……ぁぁあぃぃ……」

ぼくはあくびをこらえきれずに口をおさえた。

「ねむそうだな」

あきれたようにいうヨウスケに、

「あんまりねむれなくて……」

ぼくは顔をこすりながら答えた。

昨夜《さくや》、旅館にもどったあと、すぐに布団《ふとん》にはいったものの、いろんなことがあって興奮《こうふん》していたのか、明け方近くまでねつけなかったのだ。

朝食を終えて荷物をまとめると、恩寮閣《おんりょうかく》ともお別《わか》れだ。

ひと晩泊《ばんと》まっただけなのに、すごくさびしく感じられる。

最後《さいご》にワモォたちにあいさつしたかったけど、残念《ざんねん》ながらそんなひまはなさそうだ。

退館式《たいかんしき》をすませて、バスに乗りこむと、どこかで見ていることを信《しん》じて、ぼくは大尾仁山《おおおにやま》に向かって力いっぱい手をふった。

バスに乗って二十分ほどで、〈あやかしの里〉に到着《とうちゃく》した。

さっき別《わか》れたばかりの大尾仁山《おおおにやま》が、意外と近くに見える。

コウヘイの話にも出てきた花時計の前で集合写真をとると、ぼくはシンちゃんとタクミとソラの四人で、アトラクションへと走った。

遊園地といえば、外国っぽい町なみのイメージが強いけど、ここは妖怪《ようかい》がテーマなので、キャラクターショップがかやぶき屋根だったり、園内地図が立て看板《かんばん》になっていたりと、時代劇《じだいげき》のセットのようなふんいきだった。

ねぶそくもわすれて、夢中《むちゅう》で遊んだぼくたちは、朝ごはんが早かったこともあっ

て、お昼前にはフードコートに向かっていた。

メニュー表には、めんが平べったい〈一反《いったん》もめんラーメン〉や、とうがらしで真っ赤にそまった〈じごくの釜《かま》めし〉、好《す》きな妖怪《ようかい》の顔をケチャップでかいてくれる〈妖《よう》怪《かい》オムライス〉など、ほかでは見られないメニューがならんでいる。

ぼくたちは、まずテーブルに荷物を置《お》いて席を確保すると、食券《しょっけん》を買ってカウンターに出した。

最初《さいしょ》に料理《りょうり》を受けとったぼくが、平べったくて大きなトンカツがのった〈ぬりかべカレー〉をテーブルに運んでいると、

「うまそうやな」

背後《はいご》から、聞きおぼえのある声がした。

ふりかえると、作務衣《さむえ》を着て帽子《ぼうし》を深くかぶった、通常の人サイズのワモォが、ぼくのカレーをのぞきこんでいる。

そして、そのとなりでは、男の子に化けたヌゥが、ベーコンがベロみたいに飛《と》びだした〈人喰《ひとく》いハンバーガー〉のトレイを手にして立っていた。

おしながき
食券
修学旅行
IN

「どうして……」

ぼくがぼうぜんとしていると、

「せっかくやから、もっといっしょに遊ぼうと思って」

ヌゥは少し照《て》れたように笑《わら》った。

そこにみんなもやってきたので、ぼくたちはいっしょにお昼ごはんを食べて、午後からは六人でアトラクションを回った。

最後《さいご》に観覧車《かんらんしゃ》に乗って、地上におりたところに、カメラを手にした増田《ますだ》先生が通りかかったので、ぼくは声をかけた。

「先生、みんなと写真をとってもらってもいいですか？」

「いいけど……その人たちもいっしょに？」

先生はけげんそうな顔で、ワモォとヌゥを見た。

「はい。こっちで仲《なか》よくなったんです」

ぼくが答えると、先生はなにか察《さっ》した様子でほほえんで、カメラを構《かま》えた。

「いいわよ。それじゃあ、はい、ポーズ」

「――で、これがそのときの写真」

ぼくは大きく引きのばした記念《きねん》写真をギィにわたした。

観覧車《かんらんしゃ》をバックに、六人が写っている。

「おー、ようとれてるな」

ギィは写真を見て、感心したようにいった。

旅行から帰って数日後。

ぼくたちは、写真と、遊園地であずかったワモォからの手紙を持って、月森川《つきもりがわ》をたずねていた。

「それで、〈あやかしの七不思議《ななふしぎ》〉は集まったんか？」

ギィに聞かれて、ぼくは指折《ゆびお》り数えながら答えた。

「えっと……〈鬼《おに》の祭〉に〈つるべおろし〉だろ。

〈置《お》いてけ森〉〈ひだるい〉〈がしゃ坊主《ぼうず》〉〈峠《とうげ》の汽車〉

……七つ目が〈タヌキの草笛〉かな」

「なるほど。きっちり七つやな」

ギィがうでを組んで、うんうんとうなずいた。

「みんなで、また夏休みにでも遊びにいこうかってゆうてるんやけど、いっしょにどうや？」

タクミの言葉に、ギィは考えるそぶりを見せた。

「そうやなあ。ひさしぶりに、ワモォとすもうをとりにいこかな……」

「ギィは投げるのがうまいって、ワモォがいってたよ」

ソラがいうと、ギィはうれしそうに、

「小さい体で大《お》っきな相手を投げとばすんが、すもうのおもしろいところなんや」

といった。

「それじゃあ、ぼくでもシンちゃんに勝てるのかな」

ぼくが、自分よりも頭ひとつ大きなシンちゃんを見ながらいうと、

「リク、やってみるか？」

シンちゃんがひざを曲げて、こしをさげた。

それを見て、すもう好《ず》きの血がさわいだのか、

「お、それやったら、まずわしと勝負しよ」

ギィがシンちゃんの正面でこしを落として構《かま》えた。

「ちょ、ちょっと待って。あのワモォを投げとばすギィと、まともにたたかえるわけが……」

シンちゃんがあわてて体を起こす。

「だいじょうぶや。手かげんしたるから」

低《ひく》い体勢《たいせい》から、とっしんしてくるギィに、

「むりむり！」

といいながら、シンちゃんはにげだした。

川原を走りまわる二人を見て、笑《わら》い声《ごえ》をあげるぼくとタクミのそばで、ソラが草をちぎって、口にあてた。

ピーーーーーーーッ

遠く、阿弥香《あやか》の地まで
とどきそうな、かん高い
笛の音が、青い空をつき
ぬけていった。

作　緑川聖司（みどりかわせいじ）

2003年に日本児童文学者協会長編児童文学新人賞佳作を受賞した『晴れた日は図書館へいこう』（小峰書店）でデビュー。作品に「本の怪談」シリーズ、「怪談収集家」シリーズ、「福まねき寺」シリーズ（以上ポプラ社）、「絶対に見ぬけない!!」シリーズ（集英社みらい文庫）、「炎炎ノ消防隊」シリーズ（ノベライズ・講談社青い鳥文庫）などがある。また「笑い猫の5分間怪談」シリーズ（KADOKAWA）など、アンソロジー作品にも多く参加している。大学の卒業論文のテーマに「学校の怪談」を選んだほどの筋金入りの怪談好き。大阪府在住。

絵　TAKA（たか）

イラストレーター。児童・中高生向け読み物の装画・挿絵を数多く手がけている。絵を担当する作品に『ツクルとひみつの改造ボット』（岩崎書店）、「ゼツメッシュ!」シリーズ（講談社青い鳥文庫）、『疾風ロンド』（実業之日本社ジュニア文庫）、「基礎英語3」2018年度版（NHK出版）など。大阪府在住。
https://www.taka-illust.com

七不思議神社　妖《あやかし》の修学旅行

作　緑川聖司
絵　TAKA

2023年４月　初版発行
2024年７月　第３刷

発行者　岡本光晴
発行所　株式会社あかね書房
〒101-0065 東京都千代田区西神田3-2-1
電話　03-3263-0641（営業）
03-3263-0644（編集）
印刷所　錦明印刷株式会社
製本所　株式会社ブックアート
ブックデザイン　坂川朱音（朱猫堂）

落丁本・乱丁本はおとりかえいたします。
定価はカバーに表示してあります。
© S.Midorikawa , TAKA 2023 Printed in Japan
ISBN978-4-251-03739-8 NDC913 159p 20cm×14cm
https://www.akaneshobo.co.jp